Experience Chinese

Basic Course I
Workbook

体验 汉语®

基础教程 上

练习册

Tiyan Hanyu
Jichu Jiaocheng Lianxice

总 策 划　刘　援
主　　编　姜 丽 萍
副 主 编　刘 丽 萍
编　者　刘 丽 萍　吕　霖　裘 珊 珊

高等教育出版社·北京

图书在版编目（CIP）数据

体验汉语基础教程练习册．上／姜丽萍主编．––北京：
高等教育出版社，2008.11(2017.10重印)
ISBN 978–7–04–025488–4

Ⅰ．体… Ⅱ．姜… Ⅲ．汉语－对外汉语教学－习题
Ⅳ．H195.4

中国版本图书馆CIP数据核字(2008)第170776号

| 策划编辑 | 梁　宇 | 责任编辑 | 王　群 | 封面设计 | 彩奇风 | 版式设计 | 刘　艳 |
| 插图选配 | 王　群 | 责任校对 | 王　群 | 责任印制 | 毛斯璐 | | |

出版发行	高等教育出版社	咨询电话	400-810-0598
社　　址	北京市西城区德外大街4号	网　址	http://www.morefunchinese.com
邮政编码	100120		http://www.hep.com.cn
印　　刷	北京凌奇印刷有限责任公司	网上订购	http://www.hepmall.com.cn
开　　本	889×1194　1/16		http://www.hepmall.com
印　　张	10		http://www.hepmall.cn
字　　数	300 000	版　　次	2008年11月第1版
购书热线	010-58581118	印　　次	2017年10月第9次印刷

ISBN 978-7-04-025488-4

定价　38.00元

目　录

语音练习 Pronunciation

一 根据图示，把下列拼音填写完整。Look at the pictures and fill in the blanks to complete the *pinyin*.

___ǎo___ī	___ài___iàn	n___h___	t___x___
老师	再见	您好	同学

二 把下列词语按照声调归类。Classify the following words according to the tones.

例： (1)再
[ˋ] (1)

(1)你 　　(2)见 　　(3)您 　　(4)好 　　(5)明天 　　(6)马克

[ˉ] 　　　　[ˊ] 　　　　[ˇ] 　　　　[ˋ]
[ˉ + ˉ] 　　[ˊ + ˉ] 　　[ˇ + ˉ] 　　[ˋ + ˉ]
[ˉ + ˊ] 　　[ˊ + ˊ] 　　[ˇ + ˊ] 　　[ˋ + ˊ]
[ˉ + ˇ] 　　[ˊ + ˇ] 　　[ˇ + ˇ] 　　[ˋ + ˇ]
[ˉ + ˋ] 　　[ˊ + ˋ] 　　[ˇ + ˋ] 　　[ˋ + ˋ]
[ˉ + ·] 　　[ˊ + ·] 　　[ˇ + ·] 　　[ˋ + ·]

三 给下列句子注音。Write the *pinyin* for the following sentences.

1. 你 们 好!

_____

2. 明 天 见!

_____

3. 老 师,再 见!

_____

语法练习　Grammar

一 选择合适的选项完成句子。Choose the appropriate alternatives to complete the sentences.

1. 卡伦:老师,_____!
   老师:你好!
   A. 你
   B. 您好

2. 老师:同学们,_____好!
   同学:您好!
   A. 你们
   B. 你

二 选择合适的问句或者答句。Choose the appropriate questions or answers.

1. 王老师:安德鲁,你好!
   安德鲁:_____!
   ☐ 您好
   ☐ 你好

2. 马克:王老师,明天见!
   王老师:_____!
   ☐ 明天见
   ☐ 你好

3. 安德鲁:
   卡伦:你好,马克!
   马克:_____!
   ☐ 你们好
   ☐ 你好

汉字练习　**Chinese Characters**

一 根据拼音写汉字。Write Chinese characters according to the *pinyin*.

yī

shí

二 选择正确的汉字。Choose the correct Chinese characters.

1. 同学们，你＿＿＿好！ 门　 们

2. ＿＿＿天见！ 明　 朋

三 数一数下列汉字的笔画，把笔画数写在下面。Count and write the number of the strokes of the following Chinese characters.

例：

汉　字	们
笔画数	**5**

汉　字	王	你	再	同
笔画数				

语音练习　Pronunciation

一　根据图示，把下列拼音填写完整。Look at the pictures and fill in the blanks to complete the *pinyin*.

__ā	__à__a	m___m___	w___ m___
他	爸爸	妈妈	我们

二　把下列词语按照声调归类。Classify the following words according to the tones.

例：(1)再
　　[ˋ]　(1)

(1)很　　　(2)不　　　(3)都　　　(4)谢谢　　　(5)客气

[ˉ]　　　　　　[ˊ]　　　　　　[ˇ]　　　　　　[ˋ]

[ˉ + ˉ]　　　　[ˊ + ˉ]　　　　[ˇ + ˉ]　　　　[ˋ + ˉ]

[ˉ + ˊ]　　　　[ˊ + ˊ]　　　　[ˇ + ˊ]　　　　[ˋ + ˊ]

[ˉ + ˇ]　　　　[ˊ + ˇ]　　　　[ˇ + ˇ]　　　　[ˋ + ˇ]

[ˉ + ˋ]　　　　[ˊ + ˋ]　　　　[ˇ + ˋ]　　　　[ˋ + ˋ]

[ˉ + ·]　　　　[ˊ + ·]　　　　[ˇ + ·]　　　　[ˋ + ·]

三 给下列句子注音。Write the *pinyin* for the following sentences.

1. 同 学 们，你 们 好 吗？

_____

2. 我 爸 爸 妈 妈 都 很 好。

_____

3. 不 客 气！

_____

语法练习 Grammar

一 选择合适的选项完成句子。Choose the appropriate alternatives to complete the sentences.

1. 安德鲁：你爸爸好吗？
   卡伦：_____很好！
   A. 你
   B. 他

2. 张华：卡伦，你好吗？
   卡伦：我很好。谢谢！
   张华：安德鲁好吗？
   卡伦：他_____很好。
   A. 也
   B. 都

二 把括号里的词填入合适的位置。Put the words into the appropriate place.

1. A他B很好C。 （也）
2. A同学们B也C很好D。 （都）
3. A你爸爸妈妈B好C？ （吗）

选择合适的问句或者答句。Choose the appropriate questions or answers.

1. 王老师：安德鲁、卡伦，你们好吗？
   安德鲁：
   卡伦： 我们很好。老师，_____？
   王老师：我也很好。
   □ 您好吗
   □ 你好吗

2. 马克：安德鲁，你爸爸好吗？
   安德鲁：他很好。你爸爸好吗？
   马克：_____。
   □ 他都很好
   □ 他也很好

3. 卡伦：马克，你好吗？
   马克：我很好。谢谢！
   卡伦：_____！
   □ 不客气
   □ 不谢谢

四 将下列词语组成句子。Make up sentences with the following words.

(1) 他 好 很 也 们

_____。

(2) 爸爸 都 妈妈 好 吗 你

_____。

汉字练习 Chinese Characters

一 根据拼音写汉字。Write Chinese characters according to the *pinyin*.

wǔ	bā	mǎ

二 选择正确的汉字。Choose the correct Chinese characters.

1. 我_____好，谢谢！　　很　银

2. 老师，您好_____？　　吗　马

三 数一数下列汉字的笔画，把笔画数写在下面。Count and write the number of the strokes of the following Chinese characters.

例：

汉 字	们
笔画数	**5**

汉 字	妈	他	谢	明
笔画数				

语音练习 Pronunciation

一 根据图示，把下列拼音填写完整。Look at the pictures and fill in the blanks to complete the *pinyin*.

__āo__ìng	__ā___en	x_____	m____z____
高兴	她们	姓	名字

二 把下列词语按照声调归类。Classify the following words according to the tones.

例：(1)再
　　[ˋ]　(1)

(1)叫　　(2)她　　(3)我　　(4)王　　(5)高兴　　(6)认识　　(7)贵姓　　(8)什么

[ˉ]　　　　　　[ˊ]　　　　　　[ˇ]　　　　　　[ˋ]

[ˉ + ˉ]　　　　[ˊ + ˉ]　　　　[ˇ + ˉ]　　　　[ˋ + ˉ]

[ˉ + ˊ]　　　　[ˊ + ˊ]　　　　[ˇ + ˊ]　　　　[ˋ + ˊ]

[ˉ + ˇ]　　　　[ˊ + ˇ]　　　　[ˇ + ˇ]　　　　[ˋ + ˇ]

[ˉ + ˋ]　　　　[ˊ + ˋ]　　　　[ˇ + ˋ]　　　　[ˋ + ˋ]

[ˉ + ·]　　　　[ˊ + ·]　　　　[ˇ + ·]　　　　[ˋ + ·]

三　给下列句子注音。Write the *pinyin* for the following sentences.

1. 你叫什么名字？

_____

2. 我也很高兴认识你。

_____

3. 我爸爸姓王，我妈妈姓姚。

_____

语法练习　Grammar

一　选择合适的选项完成句子。Choose the appropriate alternatives to complete the sentences.

1. 惠美：您好，您贵姓？
   张华：我姓张，你_____？
   A. 呢
   B. 吗

2. 安德鲁：你妈妈好吗？
   卡伦：_____很好。谢谢！
   A. 她
   B. 他

3. 卡伦：老师，您贵姓？
   李老师：我_____李。
   A. 贵姓
   B. 姓

二　把括号里的词填入合适的位置。Put the words into the appropriate place.

1. A她B什么C名字？　　　　　　　（叫）
2. 他姓刘，A我B姓C刘D。　　　　（也）
3. A我爸爸妈妈B姓C王D。　　　　（都）

选择合适的问句或者答句。Choose the appropriate questions or answers.

1. 王老师：你好，_____？
   安德鲁：我叫安德鲁。
   □ 你姓什么
   □ 你叫什么名字

2. 马克：老师，_____？
   王老师：我姓王。
   □ 你贵姓
   □ 您贵姓

3. 卡伦：马克，你好吗?
   马克：我很好。_____？
   卡伦：我也很好。
   □ 你呢
   □ 你吗

四 将下列词语组成句子。Make up sentences with the following words.

(1) 张华　我　叫　张　姓

_____。

(2) 们　都　很　认识　你　我　高兴

_____。

汉字练习　Chinese Characters

一 根据拼音写汉字。Write Chinese characters according to the *pinyin*.

nǚ

jiǔ

qī

二 选择正确的汉字。Choose the correct Chinese characters.

1. _____姓格林，叫丹尼斯。　　（我　找）

2. 我叫惠美，你_____?　　（呢　尼）

三 数一数下列汉字的笔画，把笔画数写在下面。Count and write the number of the strokes of the following Chinese characters.

例：

汉 字	们
笔画数	**5**

汉 字	她	我	张	姓
笔画数				

语音练习　Pronunciation

一　根据图示，把下列拼音填写完整。Look at the pictures and fill in the blanks to complete the *pinyin*.

____ōng____uó

中国

____iāng____ǎng

香港

____ué____í

学习

M____g____

美国

B____j____

北京

Sh____h____

上海

二　把下列词语按照声调归类。Classify the following words according to the tones.

例：(1)再
　　[ˋ]　　(1)

(1)对　　(2)谁　　(3)问　　(4)请　　(5)学习　　(6)重庆　　(7)英语　　(8)天津

[−]　　　　　　　[⁻]　　　　　　　[ˇ]　　　　　　　[～]
[− + −]　　　　　[⁻ + −]　　　　　[ˇ + −]　　　　　[～ + −]
[− + ⁻]　　　　　[⁻ + ⁻]　　　　　[ˇ + ⁻]　　　　　[～ + ⁻]
[− + ˇ]　　　　　[⁻ + ˇ]　　　　　[ˇ + ˇ]　　　　　[～ + ˇ]
[− + ～]　　　　　[⁻ + ～]　　　　　[ˇ + ～]　　　　　[～ + ～]
[− + ·]　　　　　[⁻ + ·]　　　　　[ˇ + ·]　　　　　[～ + ·]

三　　给下列句子注音。Write the *pinyin* for the following sentences.

1. 你 是 北 京 人 吗 ？

_____

2. 请 问 ，您 是 哪 国 人 ？

_____

3. 我 们 都 是 上 海 人 。

_____

语法练习　　Grammar

一　　选择合适的选项完成句子。Choose the appropriate alternatives to complete the sentences.

1. 惠美：您好，请问您是_____国人？
   张华：我是中国人。
   A. 哪
   B. 什么

2. 安德鲁：他是_____人吗？
   卡伦：对。
   A. 日本国
   B. 日本

3. 卡伦：他是_____？

惠美：他是我们老师。

A. 谁

B. 什么

把括号里的词填入合适的位置。Put the words into the appropriate place.

1. 安德鲁是加拿大人，A马克B是C加拿大人D。 （也）

2. A张华B是C上海人D，他是北京人。 （不）

3. A我的朋友们B学习C英语D。 （都）

选择合适的问句或者答句。Choose the appropriate questions or answers.

1. 王老师：你好，你是哪国人？

安德鲁：_____。

☐ 我是加拿大人

☐ 我是加拿大国人

2. 张华：马克，你同学是日本人吗？

马克：_____。

☐ 他不是日本人

☐ 他不日本人

3. 卡伦：他是谁？

马克：_____。

☐ 他是香港人

☐ 他是王老师

将下列词语组成句子。Make up sentences with the following words.

(1) 张华 哪 人 国 是

_____?

(2) 吗 学习 你 英语 们 都

_____?

汉字练习　**Chinese Characters**

一　根据拼音写汉字。Write Chinese characters according to the *pinyin*.

| mén | sì | xiǎo |

二　选择正确的汉字。Choose the correct Chinese characters.

1. 请问，你是韩＿＿＿＿人吗？　（国　回）
2. 他是＿＿＿？　（谁　难）

三　数一数下列汉字的笔画，把笔画数写在下面。Count and write the number of the strokes of the following Chinese characters.

例：

汉　字	们
笔画数	**5**

汉　字	西	国	习	海
笔画数				

语音练习 Pronunciation

一 根据图示，把下列拼音填写完整。Look at the pictures and fill in the blanks to complete the *pinyin*.

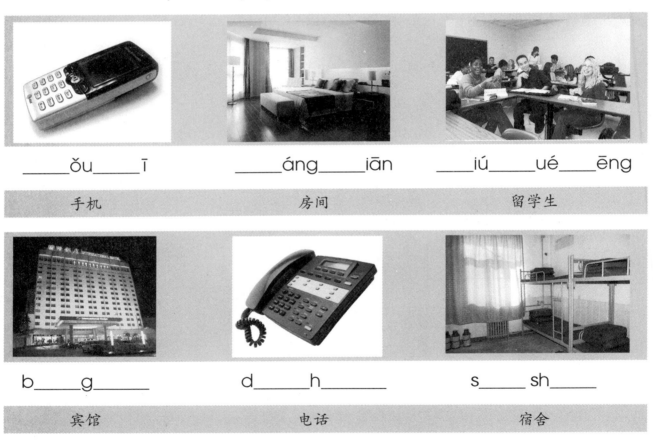

____ǒu____ī
手机

____áng____iān
房间

___iú____ué____ēng
留学生

b____g____
宾馆

d____h____
电话

s____ sh____
宿舍

二 把下列词语按照声调归类。Classify the following words according to the tones.

例：(1)再
[ˋ] (1)

(1)楼　　(2)忘　　(3)几　　(4)零　　　(5)哪儿　　(6)北京　　(7)多少　　(8)饭店

[－]　　　　　　[´]　　　　　　　[ˇ]　　　　　　　[`]
[－ + －]　　　　[´ + －]　　　　　[ˇ + －]　　　　　[` + －]
[－ + ´]　　　　[´ + ´]　　　　　[ˇ + ´]　　　　　[` + ´]
[－ + ˇ]　　　　[´ + ˇ]　　　　　[ˇ + ˇ]　　　　　[` + ˇ]
[－ + ` ]　　　　[ ´ + `]　　　　　[ˇ + ` ]　　　　　[ ` + `]
[－ + ·]　　　　[´ + ·]　　　　　[ˇ + ·]　　　　　[` + ·]

三　给下列句子注音。Write the *pinyin* for the following sentences.

1. 请 问 您 住 几 号 楼 ?

_____

2. 你 的 电 话 号 码 是 62317840 吗 ?

_____

3. 他 的 房 间 号 是 多 少 ?

_____

语法练习　Grammar

一　选择合适的选项完成句子。Choose the appropriate alternatives to complete the sentences.

1. 惠美：你的电话号码是多少?
   张华：82304829。你的呢?
   惠美：_____，我忘了。
   A. 对不起
   B. 没关系

2. 安德鲁：你的房间号是_____?
   卡伦：618。
   A. 多少
   B. 什么

3. 卡伦：惠美，你住哪儿？

    惠美：我住学生宿舍8＿＿＿＿楼。

    A. 号

    B. 号码

二　把括号里的词填入合适的位置。Put the words into the appropriate place.

1. 你A电话B号码C是多少？　　　　　　　　（的）
2. 安德鲁住6号楼，A我B住C6号楼D。　　　（也）
3. 请问，卡伦A住B留学生宿舍C号楼D？　　（几）

三　选择合适的问句或者答句。Choose the appropriate questions or answers.

1. 王老师：你好，你是留学生吗？
    安德鲁：对，我是留学生。
    王老师：你住哪儿？
    安德鲁：＿＿＿＿＿＿＿＿。
    ☐ 我住留学生宿舍6号楼314房间
    ☐ 我住留学生宿舍314房间6号楼

2. 张华：惠美，你住哪儿？
    惠美：我住8号楼。
    张华：＿＿＿＿＿＿＿？
    惠美：1214。
    ☐ 你房间号是什么
    ☐ 你的房间号是多少

3. 安德鲁：马克、卡伦，你们住哪儿？
    马克：
    卡伦：＿＿＿＿＿＿＿＿＿。
    ☐ 都我们住留学生宿舍
    ☐ 我们都住留学生宿舍

四　将下列词语组成句子。Make up sentences with the following words.

(1) 张华　手机　是　多少　号　的

＿＿＿＿＿＿＿＿＿＿＿＿＿＿＿＿＿？

(2) 住　号　留学生　8　卡伦　楼　宿舍

＿＿＿＿＿＿＿＿＿＿＿＿＿＿＿＿＿

汉字练习　Chinese Characters

一 根据拼音写汉字。Write Chinese characters according to the *pinyin*.

wèn fángjiān shǒu

二 选择正确的汉字。Choose the correct Chinese characters.

1. 请问你的电话号码是_____少？ （多 名）

2. 惠美住6号楼1104房_____。 （间 问）

三 数一数下列汉字的笔画，把笔画数写在下面。Count and write the number of the strokes of the following Chinese characters.

例：

汉 字	们
笔画数	**5**

汉 字	机	舍	楼	多
笔画数				

第6课　你家有几口人

语音练习　Pronunciation

一　根据图示，把下列拼音填写完整。Look at the pictures and fill in the blanks to complete the *pinyin*.

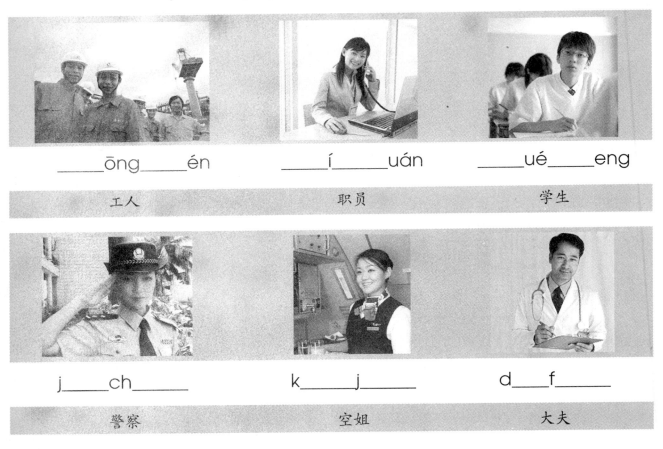

____ōng____én

工人

____í____uán

职员

____ué____eng

学生

j____ch____

警察

k____j____

空姐

d___f____

大夫

二　把下列词语按照声调归类。Classify the following words according to the tones.

例：(1)再
[ˋ]　(1)

(1)有　　(2)做　　(3)只　　(4)在　　(5)医院　　(6)工作　　(7)护士　　(8)姐姐

[−]　　　　　　　[´]　　　　　　　[ˇ]　　　　　　　[`]
[− + −]　　　　　[´ + −]　　　　　[ˇ + −]　　　　　[` + −]
[− + ´]　　　　　[´ + ´]　　　　　[ˇ + ´]　　　　　[` + ´]
[− + ˇ]　　　　　[´ + ˇ]　　　　　[ˇ + ˇ]　　　　　[` + ˇ]
[− + ` ]　　　　　[ ´ + `]　　　　　[ˇ + ` ]　　　　　[ ` + `]
[− + ·]　　　　　[´ + ·]　　　　　[ˇ + ·]　　　　　[` + ·]

三　给下列句子注音。Write the *pinyin* for the following sentences.

1. 你 家 有 几 口 人？

_____

2. 我 爸 爸 是 老 师。

_____

3. 他 姐 姐 在 医 院 工 作。

_____

语法练习　**Grammar**

一　选择合适的选项完成句子。Choose the appropriate alternatives to complete the sentences.

1. 王老师：安德鲁，你家有_____口人？
   安德鲁：我家有四口人，爸爸、妈妈、
   　　　　哥哥和我。
   A. 几
   B. 多少

2. 安德鲁：你姐姐_____什么工作？
   张华：她是大夫。
   A. 是
   B. 做

3. 卡伦：惠美，你有弟弟吗？
   惠美：我有_____个弟弟。你呢？
   卡伦：我有一个弟弟。
   A. 二
   B. 两

4. 卡伦：张华，你姐姐是大夫吗？
   张华：对。
   卡伦：她_____？
   张华：友谊医院。
   A. 工作在医院
   B. 在哪儿工作

二　把括号里的词填入合适的位置。Put the words into the appropriate place.

1. A卡伦B有姐姐C，她有一个弟弟。　　　　（没）
2. 安德鲁A有B一个哥哥C。　　　　　　　　（只）
3. A卡伦的爸爸B学校C工作D，他是老师。　　（在）
4. 张华有一个姐姐，A我B有C一个姐姐D。　　（也）

三　选择合适的问句或者答句。Choose the appropriate questions or answers.

1. 卡伦：你好，我叫卡伦，在北京
   　　　　大学学习。你呢？
   安德鲁：我叫安德鲁，_____。
   □ 也我在北京大学学习
   □ 我也在北京大学学习

2. 张华：马克，你住哪儿？
   马克：我住留学生宿舍8号楼。
   张华：_____？
   马克：62314892。
   □ 你的电话号码是几
   □ 你的电话号码是多少

3. 卡伦：马克，你有妹妹吗？
   马克：_____，我有一个
   　　　　弟弟。你呢？
   卡伦：我有一个妹妹。
   □ 我不有妹妹
   □ 我没有妹妹

4. 马克：卡伦，_____？
   卡伦：他是警察。
   □ 你弟弟做什么工作
   □ 你弟弟在哪儿工作

四　将下列词语组成句子。Make up sentences with the following words.

(1) 张华　在　姐姐　上海　的　工作

(2) 惠美　有　口　家人　四

_____。

(3) 马克　弟弟　只　一　有　个

_____。

汉字练习　Chinese Characters

一　根据拼音写汉字。Write Chinese characters according to the *pinyin*.

hùshi

mmāma

mèimei

二　选择正确的汉字。Choose the correct Chinese characters.

1. 我姐姐在学校工作，她是____师。　　（老　考）

2. 惠美家只有三口人，爸爸、妈妈____惠美。　（和　种）

三　数一数下列汉字的笔画，把笔画数写在下面。Count and write the number of the strokes of the following Chinese characters.

例：

汉　字	们
笔画数	5

汉字	妹	么	两	做
笔画数				

按照示例，根据实际情况填表。Follow the example and fill in the table according to the real situation.

张华	我
我姓张，叫张华。	
我是中国人。	
我学习英语。	
我住中国学生宿舍10号楼317房间。	
我的电话号码是82309841。	
我家有四口人，爸爸、妈妈、姐姐和我。	
我爸爸是老师。我妈妈是职员。	
我姐姐是大夫。她在上海医院工作。	

第7课 今天几号

语音练习 Pronunciation

一　根据图示，把下列拼音填写完整。Look at the pictures and fill in the blanks to complete the *pinyin*.

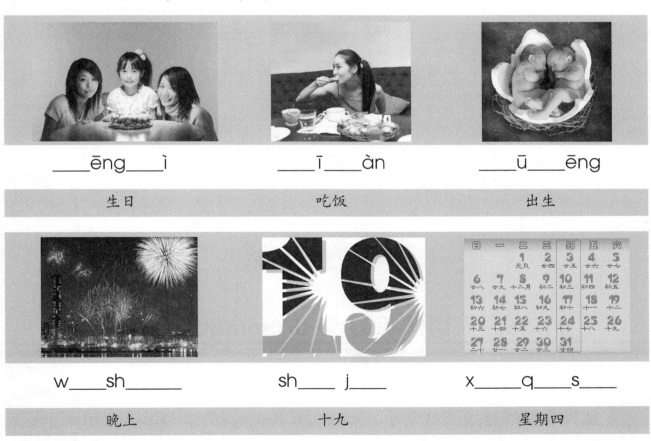

____ēng____ì

生日

____ī____àn

吃饭

____ū____ēng

出生

w____sh____

晚上

sh____ j____

十九

x____q____s____

星期四

二　把下列词语按照声调归类。Classify the following words according to the tones.

例：(1)再
　　[ˋ]　(1)

(1)龙　　(2)月　　(3)用　　(4)属　　　(5)一起　　(6)明天　　(7)出生　(8)我们

[－]	[ˊ]	[ˇ]	[ˋ]
[－ + －]	[ˊ + －]	[ˇ + －]	[ˋ + －]
[－ + ˊ]	[ˊ + ˊ]	[ˇ + ˊ]	[ˋ + ˊ]
[－ + ˇ]	[ˊ + ˇ]	[ˇ + ˇ]	[ˋ + ˇ]
[－ + ˋ]	[ˊ + ˋ]	[ˇ + ˋ]	[ˋ + ˋ]
[－ + ·]	[ˊ + ·]	[ˇ + ·]	[ˋ + ·]

三 给下列句子注音。Write the *pinyin* for the following sentences.

1. 安 德 鲁 1988 年 出 生，属 龙 。

_____

2. 今 天 是 2008 年 8 月 3 号 。

_____

3. 明 天 星 期 四，是 卡 伦 的 生 日 。

_____

语法练习　　Grammar

一 选择合适的选项完成句子。Choose the appropriate alternatives to complete the sentences.

1. 王老师：今天星期____？
   安德鲁：星期四。
   A. 几
   B. 多少

2. 惠美：卡伦，明天是你的生日，我们
   　　　 一起吃饭_____。
   卡伦：好。
   A. 吧
   B. 吗

3. 卡伦：昨天是八月三号吗？

   惠美：不，昨天八月_____号。

   A. 二

   B. 两

4. 卡伦：张华，你1987年出生？

   张华：不，我1988年出生。

   卡伦：你_____龙？

   张华：对。

   A. 是

   B. 属

二 把括号里的词填入合适的位置。Put the words into the appropriate place.

1. 今天A七B三C号D。 （月）

2. A今天B是C星期二D，是星期三。 （不）

3. 明天是张华的生日，A是B我的生日C。 （也）

4. A我和朋友们B学习C英语D。 （一起）

三 选择合适的问句或者答句。Choose the appropriate questions or answers.

1. 王老师：明天星期几？

   安德鲁：_____。

   □ 明天星期七

   □ 明天星期日

2. 张华：马克，你属什么？

   马克：_____。

   □ 我1981年出生，属鸡

   □ 我出生1981年，属鸡

3. 卡伦：今天几号？

   马克：_____。

   □ 今天2008年1月8号

   □ 今天1月8号2008年

4. 惠美：张华，你_____？

   张华：上海。

   □ 在哪儿出生

   □ 在上海出生

四 将下列词语组成句子。Make up sentences with the following words.

(1) 爸爸　明天　我　的　是　生日

　　_____。

(2) 1983　出生　朋友　年　我　卡伦

　　_____。

(3) 是　月　八　十一　今天　号　一　星期

　　_____。

一　根据拼音写汉字。Write Chinese characters according to the *pinyin*.

wǒ　　　　　　zuótiān　　　　　　míngtiān

二　选择正确的汉字。Choose the correct Chinese characters.

1. 我弟弟1988年八＿＿＿三号出生。　　　（月　用）

2. 晚上我们一起吃＿＿＿吧。　　　（饭　板）

三　数一数下列汉字的笔画，把笔画数写在下面。Count and write the number of the strokes of the following Chinese characters.

例：

汉　字	们
笔画数	**5**

汉　字	星	期	用	属
笔画数				

按照示例，根据实际情况填表。Follow the example and fill in the table according to the real situation.

姓名	生日	属相	句子
安德鲁	1988年9月4号	龙	安德鲁1988年9月4日出生，属龙。
爸爸			
妈妈			
姚明			
李小龙			
章子仪			

第8课 现在几点

语音练习 Pronunciation

一 根据图示，把下列拼音填写完整。Look at the pictures and fill in the blanks to complete the *pinyin*.

___ǐ___uáng ___àng___è ___ī___ǎng ___ēi___ī

起床　　　上课　　　机场　　　飞机

b___ l___ k___ d___

半　　　来　　　快　　　点

二 看看下面的拼音对不对，并改正不正确的拼写。Read the following *pinyin* and correct the errors.

现在 xiàngzài 出发 zhūjā 到 dài

下课 xàkè 机场 jīchuǎng 差 chà

三 给下列句子注音。Write the *pinyin* for the following sentences.

1. 现在几点?

_____

2. 你明天下午有课吗?

_____

3. 我差一刻两点出发。

_____

语法练习 Grammar

一 选词填空。Fill in the blanks with the appropriate words.

差 去 课 点 吧

1. 七点半了,快起床_____。
2. 惠美,现在几_____?
3. 你明天下午有_____吗?
4. 我下午三点半_____机场。
5. 我们_____一刻两点出发。

二 把括号里的词填入合适的位置。Put the words into the appropriate place.

1. A你B今天C有课吗D?   (上午)
2. A我们B明天下午C课D。   (没有)
3. A我B明天上午C上课D。   (十点)
4. A下午B飞机到C。   (三点半)
5. A现在B十点十分C。   (不是)

三 将下列表格填写完整。Complete the following table.

7:05	七点五分/七点零五分	qī diǎn wǔ fēn / qī diǎn líng wǔ fēn
10:15		
	三点三十分/三点半	
		shí diǎn sìshíwǔ fēn / shí diǎn sān kè
11:50		
	差一刻四点	

四 选择正确答案。Choose the appropriate alternatives.

1. 3:45读作_____。
   A. 三点零四十五
   B. 四十五分三点
   C. 三点四十五分
   D. 十五分四点

2. 10:50读作_____。
   A. 50分十点
   B. 差十分十点
   C. 差五十分十一点
   D. 差十分十一点

3. 今天下午我_____课。
   A. 不有
   B. 没有
   C. 不
   D. 不没有

4. 飞机_____到。
   A. 下午三点一刻
   B. 三点一刻下午
   C. 下午一刻三点
   D. 一刻下午三点

5. 下面哪句话是对的?
   A. 明天来北京我妈妈。
   B. 我妈妈来北京明天。
   C. 明天我妈妈来北京。
   D. 来北京明天我妈妈。

五 选择合适的问句或者答句。Choose the appropriate questions or answers.

1. A：_____?
   B：七点一刻。
   □ 今天几号
   □ 现在几点

2. A：卡伦，你今天上午有课吗?
   B：_____。
   □ 不有
   □ 没有

3. A：你星期几下午有课？
   B：＿＿＿＿＿。
   □ 四月十三号
   □ 星期四

4. A：飞机几点到北京？
   B：＿＿＿＿＿。
   □ 差一刻九点
   □ 九月十六日

5. A：八点了，快起床吧。
   B：＿＿＿＿＿。
   □ 是
   □ 好

六　仿照例句，把下列句子填写完整。Follow the example and fill in the blanks.

例：我六点半起床。
　　我八点上课。

1. 我差一刻两点出发。
   我＿＿＿＿去机场。

2. 你明天下午有课吗？
   你今天上午＿＿＿＿？

3. 哎呀，我忘了去上课。
   哎呀，＿＿＿＿。

4. 快起床吧。
   快＿＿＿＿吧。

5. 明天下午我们没有课。
   今天下午三点他们＿＿＿＿。

七　填写并完成对话。Fill in the blanks to complete the dialogue.

1. A：惠美，现在几点？
   B：＿＿＿＿＿＿＿＿＿＿＿＿＿＿。

2. A：你今天上午有课吗？
   B：＿＿＿＿＿＿＿＿＿＿＿＿＿＿。

3. A：飞机几点到？
   B：＿＿＿＿＿＿＿＿＿＿＿＿＿＿。

4. A：你去机场吗？几点出发？
   B：＿＿＿＿＿＿＿＿＿＿＿＿＿＿。

汉字练习　Chinese Characters

一　根据拼音写汉字。Write Chinese characters according to the *pinyin*.

xiànzài　　　　　chūfā　　　　　shàngwǔ

二　选择正确的汉字。Choose the correct Chinese characters.

1. 你＿＿＿＿＿＿天下午有课吗？　　（朋　明）

2. 你去机＿＿＿＿＿＿吗？　　（场　汤）

3. 我差一刻两点出＿＿＿＿＿＿去机场。　　（友　发）

4. 我每天七点半起＿＿＿＿＿＿。　　（床　庆）

5. 八点了，＿＿＿＿＿＿起床吧。　　（快　块）

三　用所给出的汉字组词。Compose words with the given Chinese characters.

例：们（你们）（我们）

机（　）（　）　　课（　）（　）　　天（　）（　）

生（　）（　）　　出（　）（　）　　间（　）（　）

四　根据偏旁写出你所学过的汉字。Write Chinese characters with the given sides of Chinese characters.

例：口：　哎　呀

亻：＿＿＿＿＿＿＿　　口：＿＿＿＿＿＿＿　　木：＿＿＿＿＿＿＿

女：＿＿＿＿＿＿＿　　日：＿＿＿＿＿＿＿　　讠：＿＿＿＿＿＿＿

任务　Task

根据自己的实际情况，把下列表格填写完整。Fill in the table according to the real situation.

7:00	七点		起床	qǐchuáng
			早饭	
8:00			上班	shàngbān
12:00	十二点			
6:45				wǎnfàn
			睡觉	shuìjiào

第9课 地铁站在哪儿

语音练习 Pronunciation

一　根据图示，把下列拼音填写完整。Look at the pictures and fill in the blanks to complete the *pinyin*.

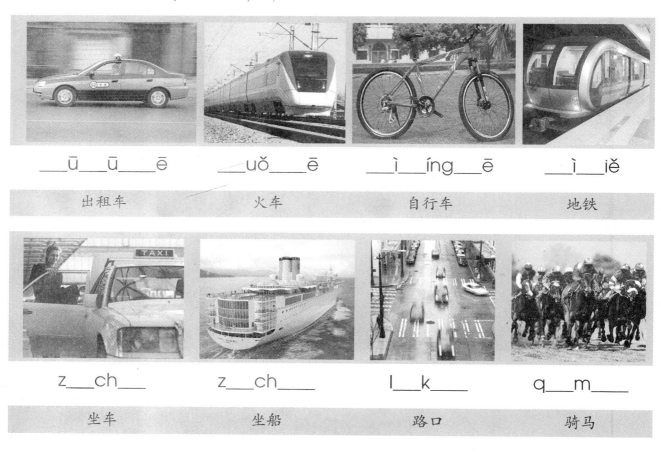

___ū___ū___ē	___uǒ___ē	___ì___íng___ē	___ì___iě
出租车	火车	自行车	地铁

z___ch___	z___ch___	l___k___	q___m___
坐车	坐船	路口	骑马

二　看看下面的拼音对不对，并改正不正确的拼写。Read the following *pinyin* and correct the errors.

左拐 zuǒ guǎi　　　　知道 zīdào　　　　层 cén

不远 bù yuàn　　　　怎么 zěnme　　　　离 lín

三 给下列句子注音。 Write the *pinyin* for the following sentences.

1. 请问,去王府井怎么走?

   _____

2. 机场离这儿远吗?

   _____

3. 她坐出租车去学校。

   _____

语法练习 Grammar

一 选词填空。 Fill in the blanks with the appropriate words.

从	离	往

1. A:请问,去王府井怎么走?

   B:_____这儿一直_____前走,到十字路口_____左拐。

   A:_____这儿远吗?

   B:不远。

层	楼	房间

2. A:你好,这是18号_____吗?

   B:是。

   A:请问马克住哪儿?

   B:他住4_____101_____。

| 坐 | 骑 |

3. A：请问，去医院怎么走？
   B：你_____出租车吧

4. A：你知道五道口在哪儿吗？
   B：知道，你_____自行车吧，离这儿不远。

二 把括号里的词填入合适的位置。Put the words into the appropriate place.

1. 你 A 知道 B 去医院 C 走吗？　　　　　（怎么）
2. 你 A 知道 B 他的电话号码是多少 C？　（吗）
3. A 火车站 B 这儿 C 远吗？　　　　　　（离）
4. 请问，A 机场 B 在 C？　　　　　　　　（哪儿）

三 选择合适的问句或者答句。Choose the appropriate questions or answers.

1. A：明天我哥哥来北京。
   B：_____？
   A：飞机五点十分到。
   □ 现在几点
   □ 飞机几点到

2. A：请问，你知道去北京饭店怎么走吗？
   B：_____。
   □ 知道，一直往前走，到十字路口往
      右拐。
   □ 知道，不太远。

3. A：你怎么去饭店？
   B：_____。
   □ 我坐公共汽车去饭店。
   □ 我去饭店吃饭。

4. A：_____？
   B：从这一直往右走，到十字路口左拐。
   □ 学校医院在哪儿
   □ 学校医院在那儿

四 仿照例句，把下列句子填写完整。Follow the example and fill in the blanks.

例：地铁站在哪儿？
　　八号楼在哪儿？

1. 请问，去医院怎么走？
   请问，去_____怎么走？

2. 北京站离这儿远吗?

_____吗?

3. 从机场到医院不太远。

从_____到_____。

4. 你知道他住哪儿吗?

你知道_____吗?

5. 王老师住十八层。

他住_____。

五 填写并完成对话。Fill in the blanks to complete the dialogue.

1. A: 请问, 去10号楼怎么走?

B: _____。

2. A: 留学生宿舍楼离这儿远不远?

B: _____。

3. A: 马克住几层?

B: _____。

4. A: 友谊宾馆在哪儿? 离这儿远吗?

B: _____。

六 根据实际情况填空。Fill in the blanks according to the real situation.

我叫_____, 我是_____国人。我_____年出生, 我的生

日是_____月_____号。我住_____。我每天_____

上课。教室离我的宿舍_____。所以, 我_____去教室。

汉字练习 Chinese Characters

一 根据拼音写汉字。Write Chinese characters according to the *pinyin*.

fēijī	huǒchē	jīchǎng

二 选择正确的汉字。Choose the correct Chinese characters.

1. 你一_____往前走，不太远。 （直　真）

2. 卡伦_____二层214房间。 （住　往）

3. A：请问，去留学生宿舍楼怎么走？

   B：往前走，到路口往_____拐。 （右　石）

三 用所给出的汉字组词。Compose words with the given Chinese characters.

例：到（到家）（到这儿）

站（　　）（　　）　　拐（　　）（　　）　　么（　　）（　　）

往（　　）（　　）　　坐（　　）（　　）　　远（　　）（　　）

任务 Task

选择一个你熟悉的地方，告诉你的同学怎么走。按照示例，根据实际情况填表。Choose somewhere you know well and tell your classmate how to get there. Follow the example and fill in the table according to the real situation.

卡伦	我
我知道去地铁站怎么走。	
从这儿一直往前走，到十字路口往右拐。	
留学生宿舍离这儿不远，你骑自行车吧！	

语音练习 Pronunciation

一 根据图示，把下列拼音填写完整。Look at the pictures and fill in the blanks to complete the *pinyin*.

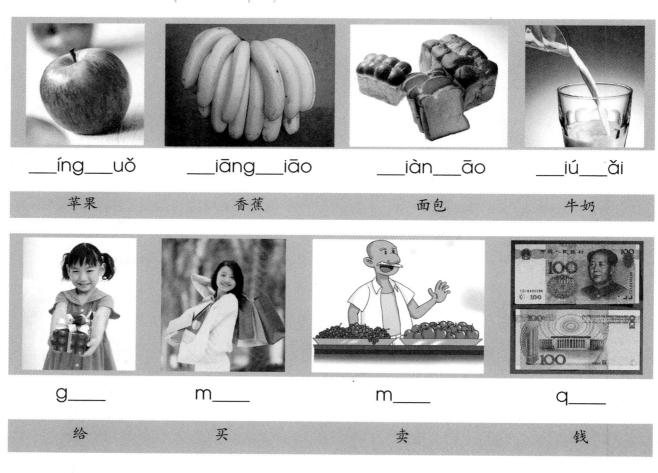

___íng___uǒ	___iāng___iāo	___iàn___āo	___iú___ǎi
苹果	香蕉	面包	牛奶

g___	m___	m___	q___
给	买	卖	钱

二 把下列词语按照声调归类。Classify the following words according to the tones.

要 斤 块 还 别 毛 瓶 特 价 袋 这

[ˉ]　　　　　　　　　　　[ˊ]

[ˇ]　　　　　　　　　　　[ˋ]

三　给下列句子注音。Write the *pinyin* for the following sentences.

1. 苹果多少钱一斤？

   _____

2. 还要别的吗？

   _____

3. 这是四十块，找您十块。

   _____

语法练习　Grammar

一　选词填空。Fill in the blanks with the appropriate words.

要　钱　还　给　这　找

1. 苹果多少_____一斤？
2. 请_____我三袋牛奶。
3. 您_____要别的吗？
4. 我_____三斤香蕉和二斤苹果。
5. _____是五十块钱，_____您三十五块。

二　把括号里的词填入合适的位置。Put the words into the appropriate place.

1. A我B要C买D两瓶可乐。　　　　　　　　　（还）
2. 面包A一B多少C钱D？　　　　　　　　　　（个）
3. 这是一百块，A您B四十五C块D。　　　　　（找）
4. A五斤B苹果C三十一块D。　　　　　　　　（一共）

三 将下列表格填写完整。Complete the following table.

150元	一百五十块	yìbǎi wǔshí kuài
25.5元		
	十五块零五（分）	
		sānshíqī kuài bā máo èr
276元		

四 选择正确答案。Choose the appropriate alternatives.

1. 5.75元读作_____。
   A. 五块七十五毛
   B. 五块七十五分
   C. 五元七五分
   D. 五块七毛五分

2. 请问，面包_____卖？
   A. 什么
   B. 怎么
   C. 多少
   D. 几

3. 您还要别的_____?
   A. 啊
   B. 呀
   C. 吗
   D. 呢

4. 你教我_____用筷子。
   A. 什么
   B. 为什么
   C. 怎么
   D. 这么

5. 可乐多少钱一_____?
   A. 斤
   B. 瓶
   C. 袋
   D. 个

五 仿照例句，把下列句子填写完整。Follow the example and fill in the blanks.

例：苹果三块五一斤。
　　香蕉<u>五块钱二斤</u>。

1. 我要买三斤苹果。
　　我要买_____。

2. 可乐多少钱一瓶?

　　牛奶_____?

3. 香蕉二斤五块钱。

　　苹果_____。

4. 三斤苹果二斤香蕉,一共十五块五毛。

　　_____,一共二十七块六毛五。

5. 这是五十块钱,找您二十五块。

　　这是一百块钱,_____。

六　　填写并完成对话。Fill in the blanks to complete the dialogue.

1. A:你要什么?

　　B:_____。

2. A:可乐多少钱一瓶?

　　B:_____。

3. A:我买三袋牛奶,一共多少钱?

　　B:_____。

4. A:面包六毛一个,你要几个?

　　B:_____。

汉字练习　Chinese Characters

一　　根据拼音写汉字。Write Chinese characters according to the *pinyin*.

píngguǒ	duōshao qián	mǎi mài	xiāngjiāo

bié de	miànbāo	tèjià

二 选择正确的汉字。Choose the correct Chinese characters.

1. 苹果多少＿＿＿＿一斤？　　　（找　钱）

2. 您还要＿＿＿＿的吗？　　　　（别　另）

3. 你好，＿＿＿＿包怎么卖？　　（面　而）

4. 今天牛奶是＿＿＿＿价。　　　（持　特）

5. 找您三十五＿＿＿＿七。　　　（快　块）

三 用所给出的汉字组词。Compose words with the given Chinese characters.

例：到（到家）

牛（　　） 快（　　） 这（　　） 我（　　） 买（　　）

生（　　） 块（　　） 远（　　） 找（　　） 卖（　　）

任务　Task

写出4—5种商品的名称及它们的价格。Write down 4–5 names of goods and their prices.

	商品	标准	价格	价格读法
1	苹果	一斤	3.5元	三块五（毛）
2				
3				
4				
5				
6				

第11课　你想买什么

语音练习　Pronunciation

一　根据图示，把下列拼音填写完整。Look at the pictures and fill in the blanks to complete the *pinyin*.

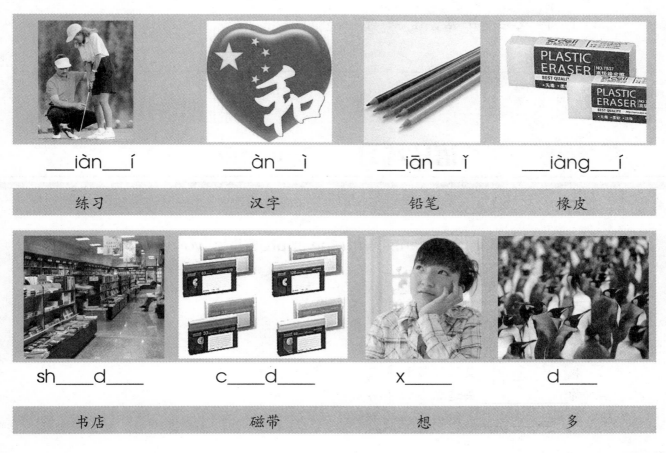

___iàn___í

练习

___àn___ì

汉字

___iān___ǐ

铅笔

___iàng___í

橡皮

sh___d___

书店

c___d___

磁带

x___

想

d___

多

二　根据所给的汉字选择正确的拼音。Choose the correct *pinyin* for the given Chinese characters.

努力
nǔlì
nǔlì

练习
liànxí
luànxí

那边
nà bān
nà biān

当然	dàngrán dāngrán	咱们	zánme zánmen	大概	dàgài dàkài

三 给下列句子注音。Write the *pinyin* for the following sentences.

1. 你怎么买这么多？

_____

2. 大概二十多块钱。

_____

3. 下午我去书店，你去不去？

_____

语法练习 Grammar

一 选词填空。Fill in the blanks with the appropriate words.

想　怎么　大概　还　不

1. 这本英汉词典_____二十多块钱。
2. 下午我_____去书店。
3. 我_____要买铅笔和橡皮。
4. 你_____买这么多田字格本？
5. 你想_____想去商店买牛奶？

二 把括号里的词填入合适的位置。Put the words into the appropriate place.

1. 你A吃B吃苹果C？　　　　　　　　　　（不）
2. 这本汉英词典A贵B贵C？　　　　　　　（不）
3. 你A有B有汉英词典C？　　　　　　　　（没）
4. 这种磁带大概要A二十B块C钱D。　　　（多）

5. 这个书店的汉英词典A九B块C钱D一本。　　　　（多）
6. A你B吃C这么少D？　　　　　　　　　　　（怎么）

三 对画线部分提问。Ask questions about the underlined parts.

例：这是<u>铅笔</u>。
　　<u>这是什么</u>？

1. 我去<u>书店</u>买磁带。
　　_____？

2. 我想买<u>一本</u>汉英词典。
　　_____？

3. 这种田字格本<u>八毛</u>一本。
　　_____？

4. 我想买<u>两瓶</u>可乐。
　　_____？

四 选择正确答案。Choose the appropriate alternatives.

1. 这个汉字_____写？
　　A. 多么
　　B. 怎么
　　C. 这么

2. 书店有_____多特价的书。
　　A. 多么
　　B. 怎么
　　C. 这么

3. 你_____去书店买磁带？
　　A. 想没想
　　B. 想不想
　　C. 想想不

4. 铅笔和橡皮在_____边。
　　A. 哪
　　B. 哪儿
　　C. 那

5. 下面哪句话是不对的？
　　A. 你有没有汉英词典？
　　B. 你有不有汉英词典？
　　C. 你有汉英词典没有？

五 选择合适的问句或者答句。Choose the appropriate questions or answers.

1. A：_____？
　　B：我想买田字格本。
　　□ 你怎么买这么多
　　□ 你想买什么

2. A：这儿有铅笔和橡皮吗？
　　B：_____。
　　□ 在哪边
　　□ 在那边

3. A：还要买别的吗？
   B：＿＿＿＿＿。
   □ 还要两个面包
   □ 还要两块钱

4. A：下午我去书店，你去不去？
   B：＿＿＿＿＿。
   □ 没去
   □ 不去

5. A：你买什么词典？
   B：＿＿＿＿＿。
   □ 汉英词典
   □ 二本词典

六 仿照例句，把下列句子填写完整。Follow the example and fill in the blanks.

例：苹果三块五一斤。
    香蕉<u>五块钱二斤</u>。

1. 我想买田字格本。
   我想＿＿＿＿＿＿＿。
2. 你怎么买这么多？
   你怎么＿＿＿＿＿＿这么＿＿＿＿＿＿＿？
3. 我要努力学习汉字。
   我要＿＿＿＿＿＿＿。
4. 你买不买牛奶？
   你＿＿＿＿＿＿＿不＿＿＿＿＿＿＿？
5. 你去医院不去？
   他＿＿＿＿＿＿＿不＿＿＿＿＿＿＿？

七 根据课文二的内容，把下列句子填写完整。Fill in the blanks according to Text 2.

马克：　下午我＿＿＿＿＿，你去不去？
安德鲁：你去书店＿＿＿＿＿？
马克：　我去买＿＿＿＿＿。
安德鲁：我＿＿＿＿＿去吧，我想买词典。
马克：　你买什么词典？
安德鲁：当然是＿＿＿＿＿。

马克：　你知道英汉—汉英词典_____吗？

安德鲁：大概_____。

马克：　_____，我也想买一本。

安德鲁：咱们_____？

马克：　一点吧。

汉字练习　Chinese Characters

一 根据拼音写汉字。Write Chinese characters according to the *pinyin*.

Hànzì	liànxí	shū diàn	dāngrán

二 选择正确的汉字。Choose the correct Chinese characters.

1. 我想去书店_____书。　（买　卖）

2. 我要努力练习汉_____。　（子　字）

3. 我_____你一起去书店吧。　（跟　银）

4. 咱们几点出_____？　（友　发）

5. 这种汉英词典不_____贵。　（大　太）

三 指出下列每组汉字中相同的部件。Point out the same part of each group of Chinese characters.

请
谁　（　）
课

汉
没　（　）
油

怎
想　（　）
您

四 把下列汉字按照偏旁归类。Classify the following Chinese characters by sides of Chinese characters.

想 给 哎 这 边 练 机 道 橡 咱 吃 还 概

纟：_____ 口：_____ 辶：_____

木：_____ 心：_____

任务 Task

用 "V+不+V" 和 "Adj.+不+Adj." 各写三个句子。Make up three sentences with the form of "V+不+V" and "Adj.+不+Adj." respectively.

例：你想不想去书店？
　　书店远不远？

V+不+V

1. _____
2. _____
3. _____

Adj.+不+Adj.

1. _____
2. _____
3. _____

语音练习 Pronunciation

一 根据图示，把下列拼音填写完整。Look at the pictures and fill in the blanks to complete the *pinyin*.

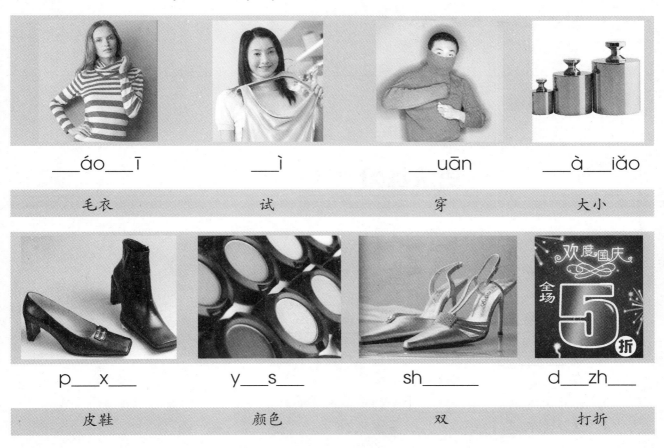

___áo___ī	___ì	___uān	___à___iǎo
毛衣	试	穿	大小

p___x___	y___s___	sh_____	d___zh___
皮鞋	颜色	双	打折

二 根据所给的汉字选择正确的拼音。Choose the correct *pinyin* for the given Chinese characters.

可以 kěyǐ
　　　kěyǐn

打折 dǎzhé
　　　dǎzé

喜欢 xǐhuan
　　　xǐhān

| 还是 | háishǐ
háishi | 便宜 | piányi
biányi | 有点儿 | yǒudiǎnr
yiǒudiǎnr |

三 给下列句子注音。Write the *pinyin* for the following sentences.

1. 我 可 以 试 试 吗?

_____

2. 你 穿 多 大 号 的?

_____

3. 能 便 宜 一 点 儿 吗?

_____

语法练习 Grammar

一 选词填空。Fill in the blanks with the appropriate words.

| 可以 有点儿 一点儿 喜欢 合适 还是 |

1. 你_____黑色的还是咖啡色的?
2. 我_____试试这双皮鞋吗?
3. 你穿大号的_____中号的?
4. 这件毛衣正_____,多少钱?
5. 这件毛衣_____小,有没有大_____的?

二 把括号里的词填入合适的位置。Put the words into the appropriate place.

1. A这种词典B贵C。 （有点儿）
2. 你这儿A有没有B小C的毛衣? （一点儿）
3. 你穿A大号B的皮鞋C? （多）

4. 你喜欢什么A颜色B毛衣C？　　　　　　　　（的）

5. A这种B鞋多少钱C？　　　　　　　　　　　（一双）

6. 这双皮鞋太贵A了，能B便宜C吗？　　　　　（一点儿）

三　将下列词语组成句子。Make up sentences with the following words.

1. 小　件　这　有点儿　毛衣

　　_____。

2. 的　便宜　有一点儿　面包　没有

　　_____？

3. 喜欢　什么　的　你　颜色

　　_____？

4. 还是　穿　你　大号的　小号的

　　_____？

四　选择正确答案。Choose the appropriate alternatives.

1. 这种毛衣多少钱_____？
   A. 一双
   B. 一件
   C. 一个

2. 有没有便宜_____的苹果？
   A. 一点儿
   B. 有点儿
   C. 有一点儿

3. 你喜欢黑的_____咖啡色的？
   A. 不是
   B. 可是
   C. 还是

4. 从你家到地铁有_____远？
   A. 多么
   B. 多少
   C. 多

5. 下面哪句话是对的？
   A. 你英语学习还是汉语学习？
   B. 你学习英语还是汉语？
   C. 你英语还是汉语学习？

五　选择合适的问句或者答句。Choose the appropriate questions or answers.

1. A：_____？
   B：380块一双，现在打七折。
   □ 这件多少钱
   □ 这双多少钱

2. A：你喜欢什么颜色的？
   B：_____。
   □ 黑的
   □ 中号的

3. A：你穿多大号的？

B：＿＿＿＿＿。

☐ 30块

☐ 30号

4. A：能便宜一点儿吗？

B：＿＿＿＿＿。

☐ 不能贵了

☐ 不能便宜了

5. A：你喝可乐还是咖啡？

B：＿＿＿＿＿。

☐ 牛奶

☐ 咖啡

六 仿照例句，把下列句子填写完整。Follow the example and fill in the blanks.

例：苹果三块五一斤。

香蕉<u>五块钱二斤</u>。

1. 这种皮鞋多少钱一双？

那种毛衣＿＿＿＿＿＿＿？

2. 这种面包有点儿贵，有没有便宜一点儿的？

这种词典＿＿＿＿＿＿，有没有＿＿＿＿＿＿？

3. 我可以用用你的手机吗？

我可以＿＿＿＿＿＿吗？

4. 你买牛奶还是咖啡？

你＿＿＿＿＿还是＿＿＿＿＿？

七 填写并完成对话。Fill in the blanks to complete the dialogue.

1. A：这件毛衣多少钱？

B：＿＿＿＿＿＿＿＿＿＿＿＿＿＿。

2. A：我可以试试吗？

B：＿＿＿＿＿＿＿＿＿＿＿＿＿＿。

3. A：你穿多大号的？

B：＿＿＿＿＿＿＿＿＿＿＿＿＿＿。

4. A：你喜欢什么颜色的？

B：＿＿＿＿＿＿＿＿＿＿＿＿＿＿。

5. A：你七点上课还是八点上课？

B：＿＿＿＿＿＿＿＿＿＿＿＿＿？

6. A：请问，试衣间在哪儿？

B：＿＿＿＿＿＿＿＿＿＿＿＿＿＿。

汉字练习　Chinese Characters

一 根据拼音写汉字。Write Chinese characters according to the *pinyin*.

kěyǐ　　　yǒudiǎnr　　　xǐhuan　　　héshì

二 选择正确的汉字。Choose the correct Chinese characters.

1. 这件＿＿＿＿＿＿衣多少钱？ （手　毛）
2. 我可＿＿＿＿＿＿试试吗？ （以　认）
3. 请问，试衣＿＿＿＿＿＿在哪儿？ （问　间）
4. 这种皮鞋现在打五＿＿＿＿＿＿？ （折　打）
5. 能＿＿＿＿＿＿宜一点儿吗？ （使　便）

三 根据拼音选择正确的汉字。Choose the correct Chinese characters according to the *pinyin*.

kěyǐ　可以　　　héshì　合适　　　piányi　便宜
　　　可认　　　　　　合远　　　　　　使宜

nàr　那儿　　　háishi　不是　　　máoyī　手衣
　　　哪儿　　　　　　还是　　　　　　毛衣

四 根据偏旁写出你所学过的汉字。Write Chinese characters with the given sides of Chinese characters.

例：口：哎　呀　吗

宀：＿＿＿＿＿＿＿＿　　讠：＿＿＿＿＿＿＿＿　　辶：＿＿＿＿＿＿＿＿

亻：＿＿＿＿＿＿＿＿　　扌：＿＿＿＿＿＿＿＿

1. 说说你的衣服和鞋子的号码。Talk about the size of your clothes and shoes.

   _____

   _____

   _____

2. 说说你喜欢的颜色。Talk about your favorite colors.

   _____

   _____

   _____

第13课　我想吃包子

语音练习　Pronunciation

一　根据图示，把下列拼音填写完整。Look at the pictures and fill in the blanks to complete the *pinyin*.

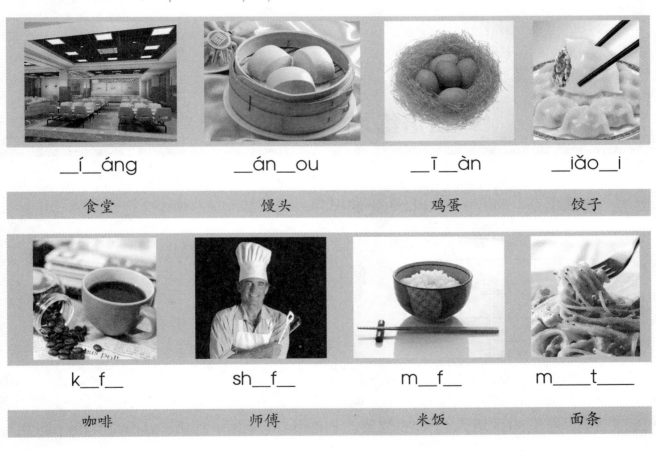

__í__áng
　食堂

__án__ou
　馒头

__ī__àn
　鸡蛋

__iǎo__i
　饺子

k__f__
咖啡

sh__f__
师傅

m__f__
米饭

m___t___
面条

二　给下列词语标上正确的声调。Mark the tones for the following words.

喝　he
常常 changchang

会　hui
俩　lia

难　nan
为什么 weishenme

三　给下列句子注音。Write the *pinyin* for the following sentences.

1. 你常常吃馒头和包子，为什么？

_____

2. 我还不会用筷子。

_____

3. 太好了!

_____

语法练习　Grammar

一　选词填空。Fill in the blanks with the appropriate words.

| 难　带　喝　会　教 |

1. 我想_____鸡蛋汤。
2. 你还不_____用筷子？
3. 我_____你用筷子。
4. 我觉得汉语太_____了。
5. 师傅，我要一个_____肉的菜。

二　把括号里的词填入合适的位置。Put the words into the appropriate place.

1. 我A的B词典C？　　　　　　　　　（呢）
2. 我想吃A一个B肉C的菜。　　　　　（带）
3. 你A用B筷子C吗？　　　　　　　　（会）
4. A我B吃馒头C。　　　　　　　　　（常常）
5. A这件毛衣B大C了。　　　　　　　（太）
6. 明天晚上A我们B一起C吃面条。　　（俩）

三 将下列词语组成句子。Make up sentences with the following words.

1. 食堂 我 吃饭 去

_____。

2. 用 太 觉得 了 难 筷子 她

_____。

3. 那边 在 汤

_____。

4. 点儿 你 什么 喝

_____？

四 选择正确答案。Choose the appropriate alternatives.

1. 我要一_____米饭。
   A. 瓶
   B. 本
   C. 碗

2. 我要一个_____肉的菜。
   A. 和
   B. 带
   C. 跟

3. 我觉得用筷子_____难了。
   A. 很
   B. 太
   C. 还

4. 我的手机_____？
   A. 呢
   B. 吗
   C. 吧

5. 下面哪句话是对的？
   A. 你会用筷子呢？
   B. 你用会筷子呢？
   C. 你会用筷子吗？

五 选择合适的问句或者答句。Choose the appropriate questions or answers.

1. A：_____？
   B：我去食堂吃饭。
   □ 你去哪儿吃饭
   □ 去哪儿你吃饭

2. A：_____？
   B：我想吃香蕉。
   □ 你吃苹果和香蕉
   □ 你吃苹果还是香蕉

3. A：_____？
   B：我不会用筷子。
   □ 你吃点什么
   □ 你常常吃馒头，为什么

4. A：_____？
   B：在那边。
   □ 我的词典吗
   □ 我的词典呢

5. A：晚上我们一起吃面条，我教你用筷子。
   B：_____！谢谢你！
   □ 没关系
   □ 太好了

六　仿照例句，把下列句子填写完整。Follow the example and fill in the blanks.

例：苹果三块五一斤。
　　香蕉五块钱二斤。

1. 汤呢？
   _____呢？

2. 你常常吃馒头，为什么？
   你常常_____，_____？

3. 我不会用筷子。
   我不会_____。

4. 我觉得汉语太难了。
   我觉得_____太_____了。

七　填写并完成对话。Fill in the blanks to complete the dialogue.

（在教室）
卡伦：_____？（哪儿）
张华：中午我去食堂吃饭，你呢？
卡伦：_____。（也）
张华：我们俩一起去吧！
（在食堂）
卡伦：_____？（什么）
张华：我想吃饺子。_____？（呢）
卡伦：我不吃饺子，我想吃包子。_____。（会）
张华：你还不会用筷子？
卡伦：是啊，_____。（难）
张华：没关系。我们俩一起吃饺子，我教你。
卡伦：_____！谢谢你！（太……了）

汉字练习 Chinese Characters

一 根据拼音写汉字。Write Chinese characters according to the *pinyin*.

kuàizi   juéde   dài ròu   jiāo

二 选择正确的汉字。Choose the correct Chinese characters.

1. 我要一个带肉的_____。   （菜　茶）

2. 我想喝鸡蛋_____。   （汤　场）

3. 你还不会_____筷子？   （月　用）

4. 汉语太_____了。   （难　谁）

5. 我们_____一起吃面条吧！   （俩　两）

三 根据拼音选择正确的汉字。Choose the correct Chinese characters according to the *pinyin*.

ròu   内   hē   喝   huì   云
       肉   渴   会

mántou 馒头   shīfu 师傅   chángcháng 尝尝
        慢头   师传   常常

四 根据偏旁写出你所学过的汉字。Write Chinese characters with the given sides of Chinese characters.

例：口： 哎　呀　吗

艹：_____   亻：_____   氵：_____

饣：_____   口：_____

除了我们学过的中国菜以外，你还知道哪些中国菜的名字？如果今天晚上你要和朋友一起去吃中国菜，请写出你们晚餐的菜单。What Chinese dishes do you know besides the ones we have learned? If you will go to have Chinese dinner with your friends tonight, write down your dinner menu please.

菜	
汤	
主食	
饮料	

语音练习　Pronunciation

一　根据图示，把下列拼音填写完整。Look at the pictures and fill in the blanks to complete the *pinyin*.

__ú__ū__uǎn	__àng__ǎng	__ào__iàn	__ǎ
图书馆	上网	照片	卡

p__y__	b__	d__	y__l__sh__
朋友	帮	等	阅览室

二　给下列词语标上正确的声调。Mark the tones for the following words.

英文　ying wen　　学生证　xuesheng zheng　　照片　zhaopian

朋友　pengyou　　没问题　mei wenti　　顺便　shunbian

给下列句子注音。Write the *pinyin* for the following sentences.

1. 我想去图书馆借书。

   _____

2. 你能替我还一本书吗?

   _____

3. 你有学生证和照片吗?

   _____

语法练习　Grammar

一　选词填空。Fill in the blanks with the appropriate words.

> 借　陪　办　看　得　替

1. 我想去图书馆_____一本中文书。
2. 你去阅览室_____书吗?
3. 请问,在哪儿_____借书卡?
4. 你能_____我去医院吗?
5. 下午有个朋友来看我,我_____等他。
6. 你去图书馆,顺便_____我还一本书吧。

二　把括号里的词填入合适的位置。Put the words into the appropriate place.

1. 这种词典二十A块B钱C一本。　　　　　　（几）
2. A你B替我C还一本书吗?　　　　　　　　（能）
3. A我B在房间等C一个朋友。　　　　　　　（得）
4. 你A能B我C问问苹果多少钱一斤吗?　　　（替）
5. A你B努力C学习汉字。　　　　　　　　　（得）
6. 我们A常常B图书馆C看书。　　　　　　　（去）

三 将下列词语组成句子。Make up sentences with the following words.

1. 汉语 我 学习 北京 来

_____。

2. 上海 我 飞机 去 坐 下午

_____。

3. 替 你 我 还 吗 书 能 一本

_____？

4. 借 书 办 在 卡 哪儿

_____？

四 选择正确答案。Choose the appropriate alternatives.

1. 你能_____我去图书馆吗？
   A. 帮
   B. 陪
   C. 看

2. 下午有课，我不_____去医院了。
   A. 得
   B. 会
   C. 能

3. 这件衣服只有_____十块钱，不太贵。
   A. 多少
   B. 多
   C. 几

4. 你去阅览室_____书吗？
   A. 借
   B. 还
   C. 看

5. 下面哪句话是对的？
   A. 他去图书馆借书。
   B. 他借书去图书馆。
   C. 去图书馆他借书。

五 选择合适的问句或者答句。Choose the appropriate questions or answers.

1. A：_____？
   B：我想借几本英文书。
   □ 你想借什么书
   □ 你想还什么书

2. A：图书馆可以上网？
   B：_____。
   □ 对
   □ 会

3. A：你有学生证和照片吗？
   B：＿＿＿＿＿。
   □ 不有
   □ 没有

4. A：英文书在几层？
   B：＿＿＿＿＿。
   □ 二本
   □ 二层

5. A：我跟你一起去办借书证吧？
   B：＿＿＿＿＿。
   □ 好吗
   □ 好啊

六 对画线部分提问。Ask questions about the underlined parts.

例：这是铅笔。
    这是什么？

1. 我想去图书馆借书。
   ＿＿＿＿＿＿＿＿＿＿＿＿？

2. 我想借两本英文书。
   ＿＿＿＿＿＿＿＿＿＿＿＿？

3. 他坐飞机去上海。
   ＿＿＿＿＿＿＿＿＿＿＿＿？

4. 阅览室里有二十几个留学生。
   ＿＿＿＿＿＿＿＿＿＿＿＿？

七 根据课文内容，判断下列句子的对错。Decide whether or not the following sentences are true or false according to the Texts.

课文一 Text 1

1. 卡伦去图书馆还书。   （   ）
2. 安德鲁去图书馆借书。   （   ）
3. 卡伦想借几本英文书。   （   ）
4. 英文书在三层，中文书在二层。 （   ）
5. 上网在四层。   （   ）
6. 在一层办借书卡。   （   ）

1. 惠美下午去图书馆。　　　　　　　　（　　）
2. 有个日本朋友来看卡伦。　　　　　　（　　）
3. 惠美得等卡伦。　　　　　　　　　　（　　）
4. 卡伦去图书馆借书。　　　　　　　　（　　）
5. 卡伦顺便帮惠美还书。　　　　　　　（　　）

汉字练习　　Chinese Characters

一　根据拼音写汉字。Write Chinese characters according to the *pinyin*.

péngyou　　　　zìjǐ　　　　túshūguǎn　　　　zhàopiàn

二　选择正确的汉字。Choose the correct Chinese characters.

1. 我想去图书馆＿＿＿＿书。　　　　　　（借　错）
2. 你能替我＿＿＿＿一本书吗？　　　　　（远　还）
3. 图书馆可以上＿＿＿＿吗？　　　　　　（网　冈）
4. 在哪儿＿＿＿＿学生证？　　　　　　　（力　办）
5. 我＿＿＿＿你一起去办借书卡吧。　　　（跟　银）

三　指出下列每组汉字中相同的部件。Point out the same part of each group of Chinese characters.

饭
饺　　＞（　　）
馆

菜
蕉　　＞（　　）
花

借
你　　＞（　　）
俩

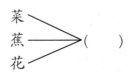

国
回 ——→ （   ）
图

很
得 ——→ （   ）
往

语
词 ——→ （   ）
证

四　给下面的汉字加上一笔，看看是个什么字？Add one stroke on each Chinese character to form another one.

例：口：___日___

头：_____　　大：_____　　白：_____　　木：_____

牛：_____　　干：_____　　问：_____　　人：_____

任务　Task

根据课文内容，把下列句子按正确的顺序整理成一段文章。Reorder the following sentences into a passage according to the Text.

1. 卡伦去阅览室借书。
2. 她想借几本中文书。
3. 下午卡伦想去图书馆。
4. 我想请她替我还一本书。
5. 我得等他。
6. 我不能去。
7. 下午有个日本朋友来看我。
8. 也想借几本英文书。

_____

语音练习　Pronunciation

一　根据图示，把下列拼音填写完整。Look at the pictures and fill in the blanks to complete the *pinyin*.

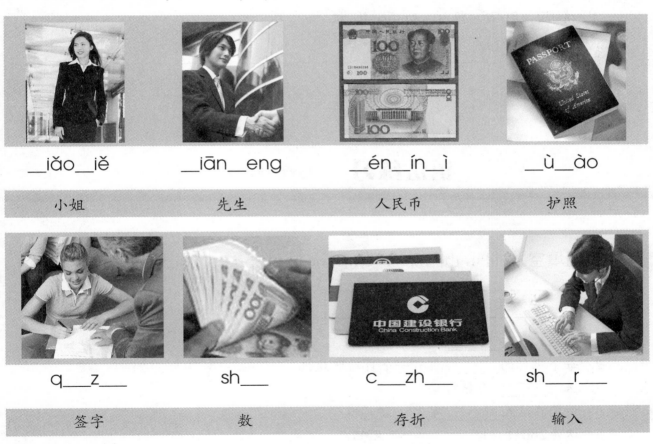

__iǎo__iě　　　__iān__eng　　　__én__ín__ì　　　__ù__ào

小姐　　　　　先生　　　　　人民币　　　　护照

q__z__　　　　sh__　　　　c__zh__　　　　sh__r__

签字　　　　　数　　　　　存折　　　　　输入

二　根据所给的汉字选择正确的拼音。Choose the correct *pinyin* for the given Chinese characters.

汇率　huìlǜ　　　日元　rìyuán　　　密码　mìmǎ
　　　huìlǜ　　　　　　rìyán　　　　　　mǐmǎ

| 先生 | xiānshen
xiānsheng | 附近 | fùjìn
fùjīng | 方便 | fāngbiàn
pāngbiān |

三 给下列句子注音。Write the *pinyin* for the following sentences.

1. 您 取 多 少 钱？

_____

2. 这 是 一 千 五 百 八 十 元 人 民 币。

_____

3. 请 问，附 近 有 自 动 取 款 机 吗？

_____

语法练习　Grammar

一 选词填空。Fill in the blanks with the appropriate words.

| 换　签　数　方便　附近　外边 |

1. 小姐，我要_____人民币。
2. 每个银行的_____都有一个自动取款机。
3. 医院_____有银行吗？
4. 请您在这儿_____字。
5. 这是280块，您_____一下儿吧。
6. 用自动取款机取钱很_____。

二 把括号里的词填入合适的位置。Put the words into the appropriate place.

1. 我得A在办公室B等C王老师。　　　　（一下儿）
2. 自动取款机A二十四小时B可以C取钱。　（都）

3. 附近A有B自动取款机C吗？　　　　　　（没）
4. 我能A试B这双鞋C吗？　　　　　　　　（一下儿）
5. 对不起，请您A等B我C。　　　　　　　（一下儿）

三 选择正确的词语。Choose the correct words to fill in the blanks.

例：我想吃<u>米饭</u>。　　| 米饭　　牛奶 |

1. 请您在这儿签_____。

| 汉字　　字 |

2. 惠美想去银行换_____。

| 皮鞋　　钱 |

3. 苹果多少钱一_____？

| 块　　斤 |

4. 小姐，我能试试这件_____吗？

| 毛衣　　皮鞋 |

5. 这是350块，您_____。

| 试一试　　数一数 |

6. 朋友要来我的宿舍，我得_____他。

| 看　　等 |

四 选择正确答案。Choose the appropriate alternatives.

1. 惠美要去银行_____。
   A. 买钱
   B. 找钱
   C. 取钱

2. 这是1580元人民币，请您_____。
   A. 数了数
   B. 数一数
   C. 一数数

3. 我能_____这双鞋吗？
   A. 一下儿试
   B. 试一下儿
   C. 试一下儿试

4. 7050读作_____。
   A. 七千五十
   B. 七千零五
   C. 七千零五十

5. 20080读作_____。
   A. 二万八十
   B. 二万零零八十
   C. 二万零八十

五 选择合适的问句或者答句。Choose the appropriate questions or answers.

1. A：先生，我要取钱。
   B：_____？
   □ 您取多少
   □ 您取什么

2. A：_____？
   B：我换二百美元。
   □ 您换什么钱
   □ 您换多少

第15课 我换人民币 73

3. A：您取多少钱？
   B：_____。
   ☐ 两千元人民币
   ☐ 人民币

4. A：附近有自动取款机吗？
   B：_____。
   ☐ 没有
   ☐ 不有

5. A：今天的汇率是多少？
   B：_____。
   ☐ 100美元换690元人民币
   ☐ 100换900

六 将下列表格填写完整。 Complete the following table.

数字	汉字	拼音
150	一百五十/一百五	yìbǎi wǔshí/yìbǎiwǔ
	八百零七	
		sānqiān líng yīshíbā
7050		
	两万零五百二十一	
45790		

七 根据课文内容，请把下列对话填写完整。 Complete the dialogue according to the Text.

惠美：小姐，我_____。

职员：您换多少？

惠美：我换_____。今天的汇率是多少？

职员：_____换_____。请给我护照。

惠美：给您。

职员：请签字。

惠美：_____？

职员：在这儿。

惠美：好。

职员：这是_____。您数数。

惠美：对了。谢谢。再见！

汉字练习　Chinese Characters

一　根据拼音写汉字。Write Chinese characters according to the *pinyin*.

rénmínbì	wàibian	xiǎoshí	fāngbiàn

二　选择正确的汉字。Choose the correct Chinese characters.

1. 我要取二万日_____。　　　　（元　无）
2. 请等一_____儿，这是您的护照。　（上　下）
3. 先生，我要_____四百美元。　　（晚　换）
4. 请问，在_____儿签字？　　　　（那　哪）
5. 请输入你的密_____。　　　　　（码　吗）

三　根据拼音选择正确的汉字。Choose the correct Chinese characters according to the given *pinyin*.

rénmínbì	人民币 人民巾	qiānzì	签子 签字	jīntiān	今天 令天
èrbǎi	二白 二百	shūrù	输入 输人	mìmǎ	密码 蜜码

四　根据偏旁写出你所学过的汉字。Write Chinese characters with the given sides of Chinese characters.

例：口：__吧　吗__

钅：_____　　　阝：_____　　　亻：_____

纟：_____　　　竹：_____　　　扌：_____

根据所给的图片，写一段对话。Make up a dialogue according to the picture.

_____

_____

_____

_____

语音练习　Pronunciation

一　根据图示，把下列拼音填写完整。Look at the pictures and fill in the blanks to complete the *pinyin*.

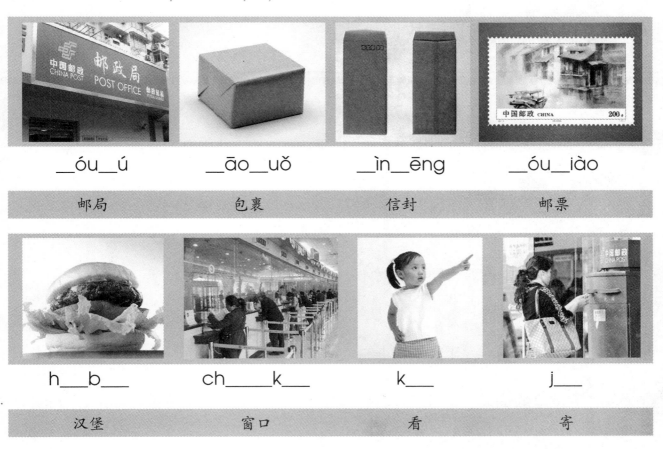

__óu__ú	__āo__uǒ	__ìn__ēng	__óu__iào
邮局	包裹	信封	邮票

h__b__	ch____k__	k__	j__
汉堡	窗口	看	寄

二　给下列词语标上正确的声调。Mark the tones for the following words.

左边 zuobian　　航空 hangkong　　纪念 jinian　　种 zhong

窗口 chuangkou　　普通 putong　　国际 guoji　　张 zhang

给下列句子注音。Write the *pinyin* for the following sentences.

1. 妈 妈 给 我 寄 了 一 个 包 裹。

_____

2. 请 问 在 哪 儿 卖 信 封 和 邮 票?

_____

3. 这 儿 有 电 话 卡 吗?

_____

语法练习　Grammar

一　选词填空。Fill in the blanks with the appropriate words.

寄 邮票 第 千 张 什么样

1. 我妈妈给我_____了一个包裹。
2. 我要买十_____纪念邮票。
3. 请问在哪儿卖信封和_____?
4. 你想借_____的书?
5. 在左边_____四个窗口。
6. 你去邮局_____什么?

二　把括号里的词填入合适的位置。Put the words into the appropriate place.

1. 昨天我A买B一件红色的衣服C。　　　　（了）
2. 我A办B借书证C。　　　　　　　　　　（没）
3. 卡伦给A你打电话B没有C?　　　　　　（了）
4. A请问B卖信封和邮票C?　　　　　　　（在哪儿）
5. 在A左边B四个C窗口取包裹。　　　　　（第）
6. 妈妈A给你寄包裹B了C?　　　　　　　（没有）

三　仿照例句改写下列句子。Follow the example and rewrite the following sentences.

例：他买毛衣。他买毛衣了没有？
　　　　　　　他没买毛衣。

1. 他去食堂吃饭。　_____？
　　　　　　　　　_____。

2. 妈妈给我打电话。　_____？
　　　　　　　　　　_____。

3. 下午卡伦去邮局。　_____？
　　　　　　　　　　_____。

四　选择正确答案。Choose the appropriate alternatives.

1. 请去左边_____窗口买邮票。
　　A. 四个
　　B. 第四个
　　C. 四个第

2. 昨天我_____去图书馆。
　　A. 没
　　B. 不
　　C. 不没

3. 你想买_____的邮票？
　　A. 什么
　　B. 怎么
　　C. 什么样

4. 你要试_____双鞋？
　　A. 哪
　　B. 哪儿
　　C. 那儿

5. 国际IP电话卡多少钱一_____？
　　A. 本
　　B. 张
　　C. 种

6. 下面哪句话是对的？
　　A. 你喝了没有牛奶？
　　B. 你喝牛奶没有了？
　　C. 你喝牛奶了没有？

五　选择合适的问句或者答句。Choose the appropriate questions or answers.

1. A：_____？
　　B：这种五十块，那种一百块。
　　□ 电话卡多少钱一张
　　□ 你要多少张电话卡

2. A：你要试哪双鞋？
　　B：_____。
　　□ 三双
　　□ 第三双

第16课　我妈妈给我寄了一个包裹　79

3. A：五张三块的，五张两块的。
   B：_____。
   □ 一共二十五块
   □ 一共二十七块

4. A：_____？
   B：纪念邮票。
   □ 你要多少张邮票
   □ 你要什么样的邮票

5. A：你喝可乐了没有？
   B：_____。
   □ 不喝
   □ 没喝

六 依照例句，用括号中的词语造句。Follow the example and form sentences with the given words.

例：你要普通邮票还是纪念邮票？
    你要买苹果还是香蕉？（还是）

1. 我买了一个手机。

   _____。（了）

2. 你吃晚饭了没有？

   _____？（了没有）

3. 你想买什么样的手机？

   _____？（什么样）

4. 你要哪种信封？

   _____？（哪）

七 根据课文内容，判断下列句子的对错。Decide whether or not the following sentences are true or false according to the Texts.

课文一 Text 1

1. 卡伦陪安德鲁去邮局。 （ ）
2. 安德鲁去邮局取包裹。 （ ）
3. 卡伦和安德鲁去麦当劳吃汉堡。 （ ）
4. 左边第四个窗口卖信封。 （ ）

课文二 Text 2

1. 卡伦买一打邮票、十个信封。 （ ）
2. 卡伦要买普通邮票。 （ ）

3. 卡伦要买三张五块的邮票。 （　　）
4. 五张三块的，五张两块的，一共四十五块钱。 （　　）
5. 安德鲁想买一张五十块钱的电话卡。 （　　）

汉字练习　Chinese Characters

一　根据拼音写汉字。Write Chinese characters according to the *pinyin*.

yóujú	pǔtōng	kàn	qǔ	xíng

二　选择正确的汉字。Choose the correct Chinese characters.

1. 下午你_____我去邮局好吗？　　　（倍　陪）
2. 请_____在哪儿卖信封和邮票？　　（问　间）
3. 我要买三张五_____的邮票。　　　（快　块）
4. 在左边第四个窗口卖手_____。　　（讯　机）
5. 咱们去邮局，顺_____去麦当劳吃汉堡吧。（使　便）

三　用所给出的汉字组词。Compose words with the given Chinese characters.

例：么（什么）（怎么）

寄（　　）（　　）　　票（　　）（　　）　　字（　　）（　　）

包（　　）（　　）　　便（　　）（　　）　　边（　　）（　　）

语（　　）（　　）　　国（　　）（　　）　　馆（　　）（　　）

四 指出下列每组汉字中相同的部件。Point out the same part of each group of Chinese characters.

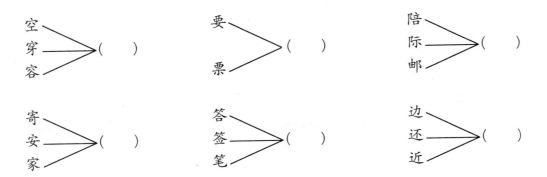

空
穿 ——— （　）
容

要
　 ——— （　）
票

陪
际 ——— （　）
邮

寄
安 ——— （　）
家

答
签 ——— （　）
笔

边
还 ——— （　）
近

任务　Task

根据课文内容，把下列句子按正确的顺序整理成一段文章。Reorder the following sentences into a passage according to the Text.

1. 安德鲁陪我一起去。
2. 我想买几张邮票。
3. 我妈妈给我寄了一个包裹。
4. 我去邮局取包裹。
5. 我们顺便去麦当劳吃汉堡。
6. 还想买一打信封。
7. 安德鲁想买国际IP电话卡。

_____

语音练习　Pronunciation

一　根据图示，把下列拼音填写完整。Look at the pictures and fill in the blanks to complete the *pinyin*.

__ué__iào
学校

__áng__i
房子

__iàn__ì
电视

__īng__iāng
冰箱

g___y___
公园

y___d___ch___
运动场

ch___sh_
超市

w_sh___j_
卫生间

二　根据所给的汉字选择正确的拼音。Choose the correct *pinin* for the given Chinese characters:

厨房　chúfáng
　　　chúpáng

冰箱　bīngxāng
　　　bīngxiāng

客厅　kètīng
　　　kèdīng

| 房租 | fángzū
fángcū | 环境 | huánjìn
huánjìng | 考虑 | kǎolǚ
kǎolù |

三 给下列句子注音。Write the *pinyin* for the following sentences.

1. 我 想 租 一 套 带 厨 房 的 房 子。

_____

2. 小 区 环 境 怎 么 样?

_____

3. 邮 局 旁 边 有 一 个 大 超 市。

_____

语法练习   Grammar

一 选词填空。Fill in the blanks with the appropriate words.

| 套   就   怎么样   旁边   应该 |

1. 一室一厅_____是一个卧室一个客厅。
2. 租房子_____多考虑考虑附近的环境。
3. 我想租一_____带厨房的房子。
4. 你觉得这个小区的环境_____?
5. 你家_____有银行和超市吗?

二 把括号里的词填入合适的位置。Put the words into the appropriate place.

1. 留学生宿舍A是B很好C吗?   （不）
2. 我想A租B一套C厨房的房子。   （带）

3. 你A应该B看看C小区的环境。 （多）

4. 邮局A旁边B一个C大超市。 （是）

5. 昨天我去A看B一套房子C。 （了）

6. 这件毛衣A很B合适吗C? （不是）

三 对画线部分提问。Ask questions about the underlined parts.

例：苹果一斤<u>三块钱</u>。

  苹果一斤多少钱?

1. 卡伦想买<u>十张</u>纪念邮票。

   _____?

2. 国际IP电话卡<u>五十块钱</u>一张。

   _____?

3. <u>左边第四个</u>窗口卖信封和邮票。

   _____?

4. 我想在<u>学校附近</u>租一套房子。

   _____?

5. 房间里有<u>冰箱、电视和洗衣机</u>。

   _____?

四 选择正确答案。Choose the appropriate alternatives.

1. 我想租一_____带厨房的房子。
   A. 张
   B. 件
   C. 套

2. 你们小区的环境_____?
   A. 怎么
   B. 什么
   C. 怎么样

3. 你想租一套_____的房子?
   A. 什么
   B. 什么样
   C. 怎么样

4. 这套房子的房租_____。
   A. 有点儿贵
   B. 贵有一点儿
   C. 一点儿贵

5. 邮局旁边_____一个大超市。
   A. 在
   B. 是
   C. 从

6. 下面哪句话是不对的?
   A. 小区东边是一个公园。
   B. 小区东边有一个公园。
   C. 小区东边在一个公园。

7. 你应该多_____小区的环境。

    A. 考考虑虑

    B. 考虑考虑

    C. 考虑一考虑

五 选择合适的问句或者答句。Choose the appropriate questions or answers.

1. A：_____？

    B：小区环境还可以。

    □ 小区环境怎么样

    □ 小区环境什么样

2. A：你前边是谁？

    B：_____。

    □ 我前边是马克

    □ 我前边有马克

3. A：超市在哪儿？

    B：_____。

    □ 在邮局东边

    □ 是邮局东边

4. A：_____？

    B：一室一厅一卫。

    □ 你要租什么样的

    □ 你要租怎么样的

5. A：你住的地方环境怎么样？

    B：_____。

    □ 还可以

    □ 不可以

六 仿照例句，用括号中的词语把对话填写完整。Follow the example and complete the dialogue with the given words.

例：附近有超市吗？

    <u>邮局旁边有一个大超市。</u>（旁边）

1. 你们小区的环境怎么样？

    _____。（可以）

2. 我想自己租一套房子。

    _____？（不是……吗）

3. 我想买一个新手机。

    _____？（什么样）

4. 你想租这套房子吗？

    _____。（考虑考虑）

根据课文内容，请把下列对话填写完整。Complete the dialogue according to the Text.

马克：昨天我去看了一套房子。

卡伦：_____?

马克：房租_____。一个月两千五。

卡伦：小区环境怎么样？

马克：_____。小区东边_____，南边_____。

卡伦：附近有超市吗？

马克：_____有一个大超市。

卡伦：你想租吗？

马克：我_____。

卡伦：对，你应该多看看。

汉字练习　**Chinese Characters**

一　根据拼音写汉字。Write Chinese characters according to the *pinyin*.

xuéxiào	zū fángzi	zěnmeyàng	yīnggāi

二　选择正确的汉字。Choose the correct Chinese characters.

1. 我想在学校附_____租一套房子。 （进　近）

2. 你想自己_____饭吗？ （做　作）

3. 我每天自己_____衣服。 （冼　洗）

4. _____天我去看了一套房子。 （作　昨）

5. 小区的南边有一个_____动场。 （运　远）

6. 租房子要考_____小区的环境。 （虎　虑）

用所给出的汉字组词。Compose words with the given Chinese characters.

进（　　）　　做（　　）　　字（　　）　　公（　　）　　视（　　）
近（　　）　　作（　　）　　子（　　）　　工（　　）　　试（　　）
词（　　）　　机（　　）　　江（　　）　　带（　　）　　还（　　）
磁（　　）　　鸡（　　）　　会（　　）　　袋（　　）　　环（　　）
寄（　　）　　客（　　）　　块（　　）　　名（　　）　　难（　　）
纪（　　）　　课（　　）　　快（　　）　　明（　　）　　南（　　）

任务　Task

阅读短文，根据短文内容完成地图。请同学们读完短文后，在图上标出学校、邮局、银行、超市、运动场的位置。Read the passage and complete the following map according to the following passage. After reading, mark the position of "学校，邮局，银行，超市" and "运动场".

　　我叫卡伦。我的房子离学校不太远。小区环境还可以。南边有邮局，北边是一个银行和一个超市，银行离学校很近。超市很大，买东西很方便。小区旁边还有一个运动场。我喜欢和朋友一起去那儿打篮球（dǎ lánqiú）。房租有点儿贵，一个月二千五百块钱。

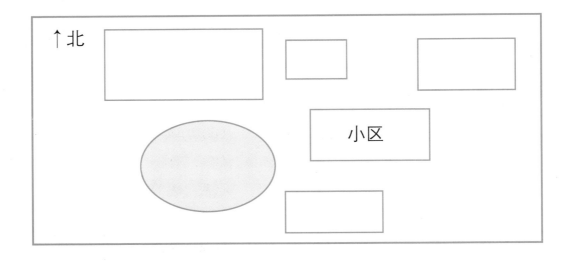

第18课 你哪儿不舒服

语音练习　Pronunciation

一 根据图示，把下列拼音填写完整。Look at the pictures and fill in the blanks to complete the *pinyin*.

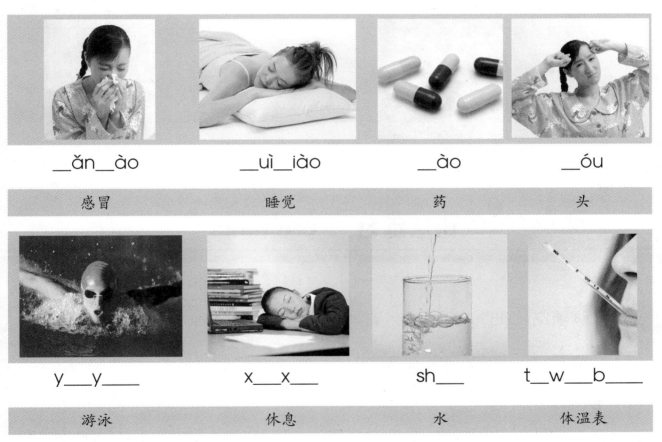

__ǎn__ào	__uì__iào	__ào	__óu
感冒	睡觉	药	头

y___y____	x___x___	sh___	t_w___b____
游泳	休息	水	体温表

二 根据所给的汉字选择正确的拼音。Choose the correct *pinin* for the given Chinese characters.

舒服　shūfú
　　　shūfu

可能　kěnéng
　　　kénéng

凉　liáng
　　láng

请假　qǐngjiǎ
　　　qǐngjià

要紧　yàojǐng
　　　yàojǐn

病　bìn
　　bìng

三 给下列句子注音。Write the *pinyin* for the following sentences.

1. 你吃药了吗？

_____

2. 你哪儿不舒服？

_____

3. 可能有点儿发烧。

_____

语法练习　Grammar

一 选词填空。Fill in the blanks with the appropriate words.

病　疼　上课　请假　发烧

王老师：

　　您好！

　　我今天起床后头和嗓子很_____，还有点儿_____，我想_____，上午去医院看_____，不能来_____了。

二　完成下面的练习。Complete the following exercises.

1. 用连线的方法把下面两组词语连接在一起。Match the words of the two columns.

A	B
办	练习
说	左拐
努力	游泳
往	借书卡
去	英语

2. 选择题1中组成的短语写入下面的句子中。Fill in the blanks with the phrases of the above exercise.

(1) 我汉字不太好，我应该_____。

(2) 去王府井，你应该_____。

(3) 去图书馆借书，你应该_____。

(4) 水太凉了，你不应该_____。

(5) 上课了，我们不应该_____。

三　把括号里的词填入合适的位置。Put the words into the appropriate place.

1. 昨天A马克B去王府井C。　　　　　　（没）

2. 你A去B图书馆了C?　　　　　　（没有）

3. A我B很C疼。　　　　　　（头）

4. 我A想B睡C觉。　　　　　　（会儿）

5. 请A替B我请C假吧。　　　　　　（个）

6. 你A我B打电话C吧!　　　　　　（给）

四　选词填空。Choose the appropriate alternatives.

1. 昨天我去游泳_____。
   A. 了
   B. 呢
   C. 吧

2. 你发烧，_____多休息。
   A. 会
   B. 能
   C. 应该

3. 11点了，你_____还不睡觉?
   A. 怎么样
   B. 怎么
   C. 什么

4. _____体温表吧!
   A. 试了
   B. 试了试
   C. 试一试

5. 下面哪句话是不对的？

    A. 我不舒服，想请个假。

    B. 我不舒服，想请一个假。

    C. 我不舒服，想请假一个。

五　选择合适的问句或者答句。Choose the appropriate questions or answers.

1. A：你买词典了没有？
    B：＿＿＿＿＿＿。
    □ 我没买
    □ 我不买

2. A：＿＿＿＿＿＿？
    B：我去图书馆了。
    □ 你去哪儿
    □ 你去哪儿了

3. A：你去医院了没有？
    B：＿＿＿＿＿＿。
    □ 去了
    □ 去

4. A：大夫，我的病严重吗？
    B：不要紧，＿＿＿＿＿＿！
    □ 你休息休息就好了
    □ 你休息一休息就好了

5. A：你怎么了？
    B：＿＿＿＿＿＿。
    □ 有点儿可能感冒
    □ 可能有点儿感冒

6. A：＿＿＿＿＿＿？
    B：我牙疼。
    □ 你哪儿不舒服
    □ 你舒服吗

六　仿照例句，改写句子。Follow the example and rewrite the following sentences.

例：昨天我去游泳了。 <u>昨天你去游泳了没有？</u>
                    <u>昨天我没去游泳。</u>

1. 昨天我去邮局了。 ＿＿＿＿＿＿＿＿＿＿？
                        ＿＿＿＿＿＿＿＿＿＿。

2. 上午我去图书馆了。 ＿＿＿＿＿＿＿＿＿＿？
                        ＿＿＿＿＿＿＿＿＿＿。

3. 今天我去医院了。 ＿＿＿＿＿＿＿＿＿＿？
                        ＿＿＿＿＿＿＿＿＿＿。

七 根据所给的词语，把下列对话填写完整。Fill in the blanks with the given words.

大夫： 你＿＿＿＿＿＿＿＿＿＿？ （哪儿）

留学生：我肚子很疼。

大夫： ＿＿＿＿＿＿＿＿＿＿？ （什么）

留学生：我吃了20个包子。

大夫： ＿＿＿＿＿＿＿＿＿＿？ （还）

留学生：我还喝了很多可乐。

大夫： 你吃得不太好。

留学生：大夫，＿＿＿＿＿＿＿＿？ （严重）

大夫： 不要紧，我给你开点儿药。

留学生：＿＿＿＿＿＿＿＿＿＿？ （还是）

大夫： 西药和中药都有。

留学生：谢谢大夫！

汉字练习 · Chinese Characters

一 根据拼音写汉字。Write Chinese characters according to the *pinyin*.

bìng	dù	yánzhòng	qǐngjià

二 选择正确的汉字。Choose the correct Chinese characters.

1. 下课了，大家＿＿＿息吧！ （休 体）

2. 不＿＿＿紧，我给你开点儿药。 （要 票）

3. 药＿＿＿在一层，到那里你可以取药。 （方 房）

4. 大夫，我的＿＿＿严重吗？ （病 疼）

5. 我的房间里有电视、＿＿＿箱、洗衣机。 （水 冰）

6. 可能有点儿＿＿＿烧。 （友 发）

三 根据拼音，选择相关的偏旁和汉字，组成新的汉字。Compose new Chinese characters by the given sides and Chinese characters according to the *pinyin*.

偏旁	氵	疒	艹	亻

汉字	木	冬	京	约

拼音	yào	liáng	téng	xiū
新组字	药			

四 填入汉字，使上下左右均能连成句子。Fill in the blanks to form sentences.

```
                              这
                              是
   我  □  你  开  点  儿  □
   你                        方
   钱
```

任务 Task

问问你的中国朋友，在中国怎样去医院看病，写出在中国医院看病的步骤。然后和你的国家相比，看看有哪些不同。Ask your Chinese friends how to see a doctor in hospital in China and write down the process. Then compare it with your country to find out the differences.

在中国：

1. _____
2. _____
3. _____
4. _____

在你的国家：

1. _____
2. _____
3. _____
4. _____

第19课　你想剪什么样的

语音练习　Pronunciation

一　根据图示，把下列拼音填写完整。Look at the pictures and fill in the blanks to complete the *pinyin*.

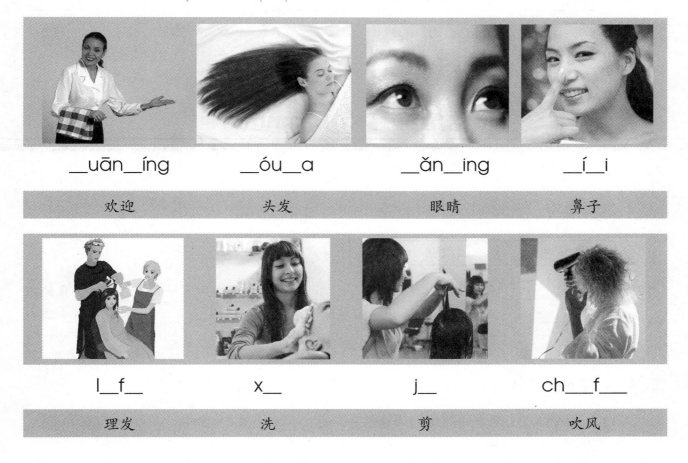

__uān__íng	__óu__a	__ǎn__ing	__í__i
欢迎	头发	眼睛	鼻子

l__f__	x__	j__	ch__f__
理发	洗	剪	吹风

二　给下列词语标上正确的声调。Mark the tones for the following words.

光临 guanglin　　前边 qianbian　　黄 huang　　再 zai

水平 shuiping　　整容 zhengrong　　坐 zuo　　别 bie

三　给下列句子注音。Write the *pinyin* for the following sentences.

1. 你 想 剪 什 么 样 的?

_____

2. 别 开 玩 笑 了。

_____

3. 染 发 很 容 易，学 汉 语 不 太 容 易 啊!

_____

语法练习　Grammar

一　选词填空。Fill in the blanks with the appropriate words.

> 染　头发　鼻子　汉语　可是

　　我的_____是黄颜色的。我想_____黑色的，跟中国人一样。_____我的眼睛、_____跟中国人不一样。我想头发颜色跟中国人一样，_____水平也跟中国人一样。

二　完成下面的练习。Complete the following exercises.

1. 用连线的方法把下面两组词语连接在一起。Match the words of the two columns.

A	B
剪短	颜色
欢迎	一点儿
什么	汉语
开	光临
学	玩笑

2. 选择题1中组成的短语写入下面的句子中。Fill in the blanks with the phrases of the above exercise.

(1) _____！你想理发还是染发？

(2) 前边再_____！

(3) 我觉得_____不容易 。

(4) 你想染_____的？

(5) 别_____了。你的汉语水平跟中国人一样就行了。

三 把括号里的词填入合适的位置。Put the words into the appropriate place.

1. A我B买C一张电话卡。 （再）

2. 可是A我的眼睛B中国人C不一样。 （跟）

3. A太B晚了，C去了！ （别）

4. 我A是不是B整容C啊？ （还要）

5. 你A想剪B什么样C？ （的）

四 选择正确答案。Choose the appropriate alternatives.

1. 你想租_____？
   A. 什么样
   B. 什么样的
   C. 怎么样

2. _____便宜一点儿吧！
   A. 太
   B. 再
   C. 很

3. 染发很容易，_____学汉语不太容易啊！
   A. 可是
   B. 可能
   C. 可以

4. _____开玩笑了！
   A. 没
   B. 不
   C. 别

5. 我的汉语水平_____中国人不一样。
   A. 也
   B. 跟
   C. 在

五 选择合适的问句或者答句。Choose the appropriate questions or answers.

1. A：_____？
   B：前边剪短一点儿。
   □ 你想剪什么样的
   □ 你想染什么样的

2. A：_____？
   B：很好！
   □ 你看看什么样
   □ 你看看怎么样

3. A：你想租这套房子吗？
   B：_____。
   □ 我一直考虑考虑
   □ 我再考虑考虑

4. A：_____？
   B：不用，染一点儿吧！
   □ 你想都染吗
   □ 你想染什么颜色的

5. A：_____！你们想吃点什么？
   B：我们想吃点儿面条。
   □ 欢迎光临
   □ 谢谢

六 仿照例句，用括号中的词语把句子填写完整。Follow the example and fill in the blanks with the given words.

例：我去图书馆，顺便帮你还书。（顺便）

1. 很晚了，_____。（别……了）
2. 安德鲁还没有来，我们_____。（再）
3. 我想陪你一起去超市，_____。（可是）
4. 你的词典是英汉——汉英词典，我的词典也是英汉——汉英词典。（跟……一样/不一样）

   _____。

5. 安德鲁的电话号码是62341190，卡伦的电话号码也是62431190。（跟……一样/不一样）

   _____。

七 根据课文内容，判断下列句子的对错。Decide whether or not the following sentences are true or false according to the Texts.

课文一 Text 1

1. 安德鲁去理发。　　　　　　　　　　（　　）
2. 安德鲁想后边剪短一点儿，前边不用剪。（　　）
3. 理发师给他洗头了。　　　　　　　　（　　）
4. 理发师没给他吹风。　　　　　　　　（　　）

课文二 Text 2

1. 卡伦的头发是黑颜色的。 （　　）
2. 卡伦想染发，她想染黄色的。 （　　）
3. 卡伦的眼睛跟中国人不一样。 （　　）
4. 惠美想整容。 （　　）
5. 卡伦觉得染发很容易，学汉语不太容易。 （　　）

汉字练习　Chinese Characters

一　根据拼音写汉字。Write Chinese characters according to the *pinyin*.

yǎnjing	hòubian	shuǐpíng	róngyì	duǎn

二　选择正确的汉字。Choose the correct Chinese characters.

1. 前面_____剪短一点儿吧！　　　　（用　再）
2. 我的头_____的颜色是黄色。　　　　（发　友）
3. 我的眼_____跟中国人不一样。　　　（晴　睛）
4. 学_____语不太容易啊。　　　　　（汗　汉）
5. 你想买什么_____的手机?　　　　（样　洋）

三　根据拼音，选择相关的偏旁和汉字，组成新的汉字。Compose new Chinese characters by the given sides and Chinese characters according to the *pinyin*.

偏旁	又	刂	目	木

汉字	另	垂	羊	寸

拼音	yàng	duì	bié	shuì
新组字	样			

四　填入汉字，使上下左右均能连成句子。Fill in the blanks to form sentences.

```
                              我
                              想
        我                    理
        □   能  有  点  儿  □  烧
        以
        试
        试
        吗
```

任务　Task

观察班里一位同学的发型，介绍一下他（她）的头发的颜色和发型特点。按照示例，把实际情况填入表中。Observe one classmate's hair and introduce the features of his/her hair color and style. Follow the example and fill in the blanks according to the real situation.

卡伦	同学
我的头发是黄颜色的，跟中国人不一样。	
我的头发是长发，不是短发。	
我没有烫发，可是我的头发是卷（curl）发。	
我染发了，现在跟中国人一样，我的头发也是黑颜色的。	

语音练习 Pronunciation

一 根据图示，把下列拼音填写完整。Look at the pictures and fill in the blanks to complete the *pinyin*.

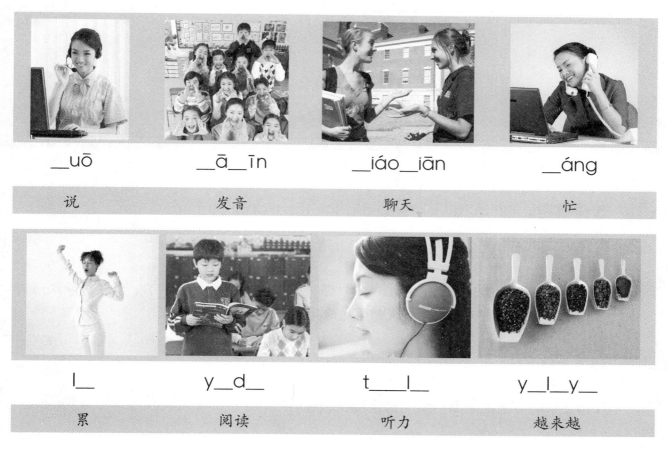

__uō	__ā__īn	__iáo__iān	__áng
说	发音	聊天	忙

l__	y__d__	t___l__	y__l__y__
累	阅读	听力	越来越

二 给下列词语标上正确的声调。Mark the tones for the following words.

声调 shengdiao   非常 feichang   以后 yihou   准 zhun

好久 hao jiu   最近 zuijin   特别 tebie   死 si

三　给下列句子注音。Write the *pinyin* for the following sentences.

1. 你 汉 语 说 得 很 流 利。

_____

2. 王 老 师 教 我 们 口 语。

_____

3. 哪 里，还 差 得 远 呢。

_____

语法练习　**Grammar**

一　选词填空。Fill in the blanks with the most appropriate words.

| 节　特别　最近　越来越　死 |

_____我很忙，一星期有20_____课，每天都有，累_____了。我觉得学汉语有点儿难，_____是汉字。现在我们学的汉字_____多，我常常忘。

二　完成下面的练习。Complete the following exercises.

1. 用连线的方法把下面两组词语连接在一起。Match the words of the two columns.

A	B
教	死了
说得	贵
什么样的	我们口语
怎么这么	房子
忙	很流利

2. 选择题1中组成的短语写入下面的句子中。Fill in the blanks with the phrases of the above exercise.

    (1) 最近我的课太多，_____。

    (2) 王老师_____。

    (3) 500块？_____！

    (4) 卡伦的汉语很好，她汉语_____。

    (5) 你想租_____？

三　选择"得"的位置。Put "得" into the appropriate place.

1. 姐姐做A中国菜B做C很好。
2. 我今天晚上A吃B太C多了。
3. 这双皮鞋穿A不B太C舒服。
4. 妹妹学A汉语B学C很努力。
5. 你怎么A说B这么C好？

四　选择正确答案。Choose the appropriate alternatives.

1. 我们_____课太多。
    A. 的
    B. 得
    C. 了

2. 王老师教_____怎么样？
    A. 的
    B. 得
    C. 了

3. 这个字应该这么写，_____写不对。
    A. 那么
    B. 哪儿
    C. 那儿

4. 他的感冒_____严重了。
    A. 越
    B. 越来
    C. 越来越

5. 下面哪句话是不对的？
    A. 你怎么说得那么好？
    B. 你说得怎么那么好？
    C. 你说得那么怎么好？

五　选择合适的问句或者答句。Choose the appropriate questions or answers.

1. A：你汉语说得跟中国人一样。
    B：_____！
    □ 哪儿哪儿，还差得远呢
    □ 哪里哪里，还差得远呢

2. A：_____？
    B：我学得不太好。
    □ 你汉语学得怎么样
    □ 你怎么样

3. A: _____?

   B: 我们的课太多了。

   □ 怎么这么忙

   □ 怎么这么多

4. A: _____?

   B: 综合、听力、阅读和口语。

   □ 你们一星期有多少节课

   □ 你们都有什么课

5. A: 好久不见，你最近忙吗？

   B: _____，每天都有课。

   □ 忙死了

   □ 不太忙

六 将下列词语组成句子。Make up sentences with the following words.

1. 汉语 说 不 得 太 她 好

   _____。

2. 头发 剪 的 得 你 怎么 短 这么

   _____？

3. 越来越 吃 菜 我 中国 喜欢

   _____。

4. 房租 的 贵 了 那里 死

   _____。

5. 综合 我们 张老师 教 课

   _____。

七 根据所给的词语，把下列对话填写完整。Fill in the blanks with the given words.

安德鲁：_____，你汉语说得真流利！（好久）

马克： 哪里，哪里。

安德鲁：你说得_____？（怎么这么）

马克： 我常常和中国人聊天，练习口语。

安德鲁：你觉得_____？（吗）

马克： 我觉得学汉语不容易，_____，你看，这是我写的汉字。
        （特别是）

安德鲁：你写得不错。

马克： 还差得远呢。现在我们学的汉字_____。（越来越）

一　根据拼音写汉字。Write Chinese characters according to the *pinyin*.

zhème	liúlì	liáotiān	zuìjìn

二　选择正确的汉字。Choose the correct Chinese characters.

1. ＿＿＿＿音有点儿难。　　　　　　　（ 发　友 ）
2. 我们明天有＿＿＿＿读课。　　　　　（ 问　阅 ）
3. 今天上午我们有综＿＿＿＿课。　　　（ 会　合 ）
4. 你汉语说得太流＿＿＿＿了。　　　　（ 利　和 ）
5. 最＿＿＿＿我不太忙。　　　　　　　（ 远　近 ）

三　根据拼音，选择相关的偏旁和汉字，组成新的汉字。Compose new Chinese characters by the given sides and Chinese characters according to the *pinyin*.

偏旁	巾	耳	门	讠

汉字	又	兑	邦	卖

拼音	yuè	dú	bāng	qǔ
新组字	阅			

四　填入汉字，使上下左右均能连成句子。Fill in the blanks to form into sentences.

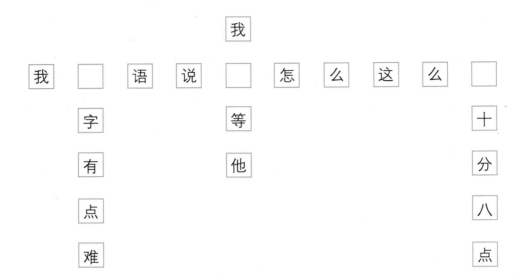

任务　Task

谈谈汉语学习。按照示例，把你的实际情况填入表中。Talk about Chinese study. Follow the example and fill in the table according to the real situation.

惠美	我
我在北京语言大学学习汉语。	
王老师教我们综合课，她教得非常好。	
我们一个星期有20节课，每天都有。忙死了。	
我们有综合课、听力课、阅读课、口语课。	
我觉得汉语有点儿难，特别是汉字。	
我们学的汉字越来越多，我的汉字也写得越来越好。	

语音练习 Pronunciation

一 根据图示，把下列拼音填写完整。Look at the pictures and fill in the blanks to complete the *pinyin*.

__í__iǎn	__uò__è	__ú__ù__uán	__iǎn__á
词典	作业	服务员	检查

k___q___sh__	y__x__	t___x__	b___
矿泉水	预习	听写	表

二 根据所给的汉字选择正确的拼音。Choose the correct *pinyin* for the Chinese charaters.

意思 yìsì
　　 yìsi

生词 shēngcí
　　 sēngcí

错 zuò
　 cuò

刚 gāng
　 gān

完 wán
　 wuán

真 zhēn
　 zhēng

三 给下列句子注音。Write the *pinyin* for the following sentences.

1. 我 念 对 了 吗?

_____

2. 你 怎 么 知 道 这 个 词?

_____

3. 你 应 该 预 习 好 以 后 再 休 息。

_____

语法练习 **Grammar**

一 选词填空。Fill in the blanks with the appropriate words.

| 题　检查　听写　完　哎呀　预习 |

　　我做_____作业了，张华帮我_____了一下儿。_____，10道_____做错了3道。我们学完第21课了，明天老师要_____生词，我应该_____好以后再休息。

二 完成下面的练习。Complete the following exercises.

1. 用连线的方法把下面两组词语连接在一起。Match the words of the two columns.

A	B
找	预习
喝完	里
应该	问了老师
顺便	词典
生词表	一瓶

2. 选择题1中组成的短语写入下面的句子中。Fill in the blanks with the phrases of the above exercise.

(1) 我刚_____矿泉水。

(2) _____没有这个词。

(3) 我不知道这个词的意思，_____。

(4) 你_____干什么？

(5) 你_____好以后再休息。

三　把括号里的词填入合适的位置。Put the words into the appropriate place.

1. 这是A练习B的C一个生词。　　　　　　（里）
2. 新生词你A预习B好了C?　　　　　　　（没有）
3. 我A还B检查C完你的作业。　　　　　　（没）
4. 这个词A我B念C了吗?　　　　　　　　（对）
5. 我A看B第20页C了。　　　　　　　　（到）
6. 你A看B王老师C了没有?　　　　　　　（见）

四　选择正确答案。Choose the appropriate alternatives.

1. 我_____看见你的书。
   A. 没
   B. 不
   C. 了没有

2. 这是课文_____的一个词。
   A. 里
   B. 边
   C. 下

3. 我_____喝完一瓶。
   A. 就
   B. 刚
   C. 正

4. 我_____问了服务员。
   A. 随便
   B. 方便
   C. 顺便

5. 我做_____了三道题。
   A. 到
   B. 错
   C. 见

选择合适的问句或者答句。Choose the appropriate questions or answers.

1. A：_____？
   B：没有。你找它干什么？
   □ 你看见我的护照了没有
   □ 我的护照在哪儿

2. A：_____？
   B：我也不知道。你查查词典吧！
   □ 什么意思是这个生词
   □ 这个生词是什么意思

3. A：你可以帮我检查一下儿吗？
   B：好的。……_____。
   □ 哎呀，你写错了几个字
   □ 对了，你写错了几个字

4. A：新生词你预习好了吗？
   B：_____。
   □ 预习了，但没预习好
   □ 预习了，但没好预习

5. A：_____？
   B：我看到第50页了。
   □ 你看到什么了
   □ 你看到第几页了

选择下面的词语完成对话。Choose the correct words to complete the dialogues.

对	错	完	好	到

1. A：妈妈，饭做好了没有？
   B：刚做_____。你吃_____饭要干什么？
   A：我要跟同学去商店。
   B：今天的作业你做_____了没有？
   A：做_____了。
   B：做_____了没有？
   A：不知道做_____没做_____，明天老师会检查的。

2. A：王老师，这个词我写_____了吗？
   B：没有写_____，你写_____了。

3. A：这本书你看了没有？
   B：看了，但没看_____。
   A：怎么没看_____？
   B：昨天我看_____一半，我的朋友就来了。

七 根据所给的词语，把下列对话填写完整。 Fill in the blanks with the given words.

马克：张华，_____？（看见）

张华：没有，你现在找书干什么？

马克：我查一个词。

张华：_____？（什么）

马克：我刚看到的一个词，我们学了，可是我忘了。

张华：我看看。哦，这是"矿泉水"。

马克：对了，是"矿—泉—水。"_____？（吗）

张华：念对了。

马克：谢谢，现在我们学的生词_____，我常常忘。（越来越……）

张华：你应该多写多练。你们明天还听写生词吗？

马克：是啊，老师每天都要听写生词。我_____。（应该）

汉字练习 Chinese Characters

一 根据拼音写汉字。 Write Chinese characters according to the *pinyin*.

yìsi	fúwùyuán	tí	tīngxiě

二 选择正确的汉字。 Choose the correct Chinese characters.

1. 我_____的都写对了吗？　（直　真）

2. 这个词是什么_____思？　（意　音）

3. 你写_____了几个汉字。　（借　错）

4. 那个词怎么_____？　（念　今）

5. 老师明天会检查我们的_____业的。　（做　作）

三 选择相关的偏旁和汉字，组成新的汉字，填入后面的句子中。Compose new Chinese characters by the given sides and Chinese characters and fill in the blanks with them.

偏旁	月	立	心	宀	刂

汉字	今	冈	元	日	月

1. 这个词怎么（　　）？
2. 你的（　　）发得很准。
3. 我看（　　）这本书了。
4. 我今天上午（　　）到北京。
5. 下午有个日本（　　）友来看我。

四 填入汉字，使上下左右均能连成句子。Fill in the blanks to form into sentences.

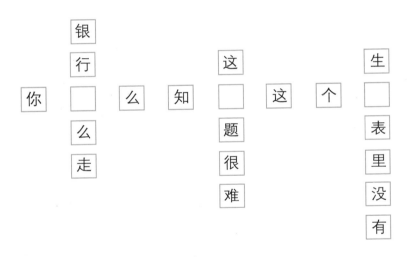

任务　Task

学习身边的汉字。Learn Chinese characters around us.

1. 下面这些图片你见过吗？把图片里的汉字写下来，查字典，给它们注上拼音。如果不知道意思，也顺便查一查。Have you ever seen the following pictures before? Write down the Chinese characters in pictures. Look up dictionary and mark the *pinyin*. And don't forget the meaning of these words.

_____   _____

2. 找到至少两个像第1题的标牌，把标牌上的汉字抄下来，然后查字典注音。Find out two more similar signs as the above. Write down the Chinese characters and look up dictionary to mark the *pinyin*.

_____   _____

_____   _____

语音练习 Pronunciation

一　根据图示，把下列拼音填写完整。Look at the pictures and fill in the blanks to complete the *pinyin*.

__ì__ǔ　　　__ào__u　　　__í__iān　　　__ǔ__ǎo

日语　　　　告诉　　　　时间　　　　辅导

l__sh___　　　d__ch__　　　y__f__　　　j___

路上　　　　堵车　　　　语法　　　　讲

二　根据所给的汉字选择正确的拼音。Choose the correct *pinyin* for the Chinese charaters.

以为　yǐwéi
　　　 yǐwèi

开始　kāishǐ
　　　 kānshǐ

一会儿　yīhuǐr
　　　　yíhuìr

过奖　guòjiǎng
　　　 guòjǎng

录音　lùyīn
　　　 lǚyīn

要求　yàoqiú
　　　 yāoqiú

给下列句子注音。Write the *pinyin* for the following sentences.

1. 你 学 日 语 学 了 多 长 时 间 了？

　　_____

2. 你 能 给 我 介 绍 一 个 辅 导 吗？

　　_____

3. 平 时 只 用 二 十 多 分 钟 就 能 到。

　　_____

语法练习　Grammar

一　选词填空。Fill in the blanks with the appropriate words.

路上　语法　辅导　晚　懂

　　今天李明帮我_____汉语。可是_____堵车，他来_____了。我的作业里有很多_____问题，我不_____，想请李明给我讲讲。

二　完成下面的题目。Complete the following exercises.

1. 用连线的方法把下面两组词语连接在一起。Match the words of the two columns.

A	B
学了	半个小时天
聊	到学校
介绍	三个多月了
从我宿舍	你的手机号码
告诉我	一个辅导

2. 选择题1中组成的短语写入下面的句子中。Fill in the blanks with the phrases of the above exercise.

(1) 能_____吗？

(2) 请给我_____吧！

(3) 我学汉语_____。

(4) _____坐车要半个小时。

(5) 我每天跟一个中国朋友_____。

三 用"就"或"才"填空。Fill in blanks with "就" or "才".

1. 这儿离王府井很远，坐地铁要坐一个多小时_____能到。

2. 邮局离这儿很近，走几分钟_____到了。

3. 八点上课，他九点_____来。

4. 惠美每天都6点半起床，今天六点钟_____起床了。

5. 十点_____开始上课呢，他怎么现在_____走了？

6. 今天的作业我只用了半个小时_____做完了。

四 选择正确答案。Choose the appropriate alternatives.

1. _____教室_____图书馆要多长时间？
   A. 从，往
   B. 到，往
   C. 从，到

2. 卡伦_____用筷子很难。
   A. 以为
   B. 以后
   C. 最后

3. 昨天我感冒了，十点_____睡觉了。
   A. 才
   B. 就
   C. 再

4. 我练习了很长时间，_____学会用筷子。
   A. 才
   B. 就
   C. 再

5. 下面哪句话是不对的？
   A. 我学汉语学了几个月了。
   B. 我学了几个月的汉语。
   C. 我学了汉语两个多月。

五 选择合适的问句或者答句。Choose the appropriate questions or answers.

1. A：你每天念多长时间课文？
   B：_____。
   □ 念十几分钟
   □ 念了十几分钟

2. A：_____？
   B：我等了你十几分钟了。
   □ 你什么时候开始等我
   □ 你等我多长时间了

3. A：你今天预习完生词了吗？

B：_____。

☐ 我早就预习完了

☐ 我才预习完了

4. A：_____？

B：对不起，路上堵车。

☐ 你怎么现在就来

☐ 你怎么现在才来

5. A：_____？

B：我的电话号码是62341190。

☐ 能告诉我你的电话号码吗

☐ 你的电话号码是几

六 仿照例句，把下列句子填写完整。Follow the example and fill in the blanks.

例：我 学日语 三个多月　我学日语学了三个多月了。

　　　　　　　　　　　　你学日语学了多长时间了？

1. 我 游泳 十几分钟　　_____。

　　　　　　　　　　　_____？

2. 他 上网 一个上午　　_____。

　　　　　　　　　　　_____？

3. 我 等你 半个多小时　_____。

　　　　　　　　　　　_____？

4. 我 做作业 一个多小时　_____。

　　　　　　　　　　　_____？

5. 他 学汉语 一年多　　_____。

　　　　　　　　　　　_____？

七 根据所给的词语，把下列对话填写完整。Fill in the blanks with the given words.

惠美：你怎么现在_____？（才）

李明：对不起，路上堵车堵得很严重。

惠美：没关系。_____要用多长时间？（从……到……）

李明：平时_____，今天_____。（就，才）

惠美：你先休息一会儿吧！

李明：_____？（多长时间）

惠美：我等你等了十几分钟了。

汉字练习　Chinese Characters

一 根据拼音写汉字。Write Chinese characters according to the *pinyin*.

fāngfǎ	kèwén	píngshí	dǒng

二 选择正确的汉字。Choose the correct Chinese characters.

1. 你上网上了多长时_____了？ （问　间）
2. 哪里哪里，_____奖了！ （过　还）
3. 能告_____我你的房间号吗？ （诉　拆）
4. 来，_____绍一下，这是我的中国朋友李明。 （价　介）
5. 你还有什么_____求？ （票　要）
6. 我以_____你是中国人。 （为　办）

三 选择相关的偏旁和汉字，组成新的汉字，填入后面的句子中。Compose new Chinese characters by the given sides and Chinese characters and fill in the blanks.

偏旁	忄	日	车	土	女

汉字	免	甫	台	亡	者

1. 现在开（　）上课吧！
2. 你帮我（　）导一下语法好吗？
3. 最近课太多，我（　）死了！
4. 对不起，我来（　）了。
5. 路上（　）车。

四　填入汉字，使上下左右均能连成句子。Fill in the blanks to form sentences.

```
        两              今
        百              天
        块              有        我
老 师 说 得 □ 快 我 □ 不 □
        贵              力        汉
        了              课        语
```

任务　Task

调查一两位同学学习汉语的情况，比较一下你们的学习方法。按照示例，根据实际情况填表。Follow the example and fill in the blanks according to the real situation. Investigate with one or two of your classmates about their study of Chiese and compare your study ways.

李明
我学日语学了三个多月了。
我每天念十几分钟的课文
听半个小时的课文录音
做一个多小时的作业
还跟一个日本朋友聊半小时天

我	同学1	同学2

语音练习 Pronunciation

一 根据图示，把下列拼音填写完整。Look at the pictures and fill in the blanks to complete the *pinyin*.

__ōu__ò	__ěn__i	__ā	__āi
周末	本子	拉	开

d__j__	ch____h__	y__	d____
大家	窗户	雨	灯

二 根据所给的汉字选择正确的拼音。Choose the correct *pinyin* for the Chinese charaters.

这样　zhèyàng
　　　zèyàng

一定　yīdìn
　　　yídìng

打　dǎ
　　dǎi

出去	chū qù	时候	shíhou	交	jiāo
	chū jù		shíhuò		jiǎo

三 给下列句子注音。Write the *pinyin* for the following sentences.

1. 外 边 的 同 学 请 进 来 吧。

_____

2. 我 一 定 好 好 儿 预 习。

_____

3. 我 把 作 业 本 忘 在 家 里 了。

_____

语法练习 Grammar

一 选词填空。Fill in the blanks with the appropriate words.

交 上 下 开 页 周末

　请大家把书打_____，看165_____，今天的作业是……这些都写在本子
_____。请大家把昨天的作业_____给我，明天是_____，今天的作业_____星
期一交。

二 完成下面的练习。Complete the following exercises.

1. 用连线的方法把下面两组词语连接在一起。Match the words of the two columns.

A	B
打开	进来
坐在	书
本子	老师
交给	上
请	我旁边

2. 选择题1中组成的短语写入下面的句子中。Fill in the blanks with the phrases of the above exercise.

(1) 你过来，_____。

(2) 该上课了，大家_____吧！

(3) 现在把作业_____。

(4) 请大家_____，今天我们学习第二十三课。

(5) 这些都写在_____吗？

三 把括号里的词填入合适的位置。Put the words into the appropriate place.

1. 请大家A进来吧，B上课C了！　　　　　（该）

2. 请A你们B窗户C打开。　　　　　　　　（把）

3. A怎么B能C学好汉语呢？　　　　　　　（这样）

4. 我A把B钱C借给他。　　　　　　　　　（没）

5. A我B住C留学生宿舍楼。　　　　　　　（在）

四 用"来"和"去"填空。Fill in blanks with "来" or "去".

1. 惠美，你过_____一下儿好吗？我想问你一个问题。

2. 惠美刚从我这儿过_____。

3. 该上课了，外边的同学请进_____吧！

4. 该上课了，我们进_____吧！

5. 这是药方。药房在一层，你先下_____取药吧！

6. 我在这儿等你，你快下_____吧！

7. 你的病不要紧，回_____以后好好儿休息。

8. A：你爸爸回_____了吗？

B：还没有，他上午出_____了。

五 选择正确答案。Choose the appropriate alternatives.

1. 老师，对不起，我得出_____一下儿。　　2. 作业写在本子_____。

A. 来　　　　　　　　　　　　　　　　　　A. 上

B. 去　　　　　　　　　　　　　　　　　　B. 下

C. 发　　　　　　　　　　　　　　　　　　C. 里

3. _____上课了，大家坐好吧！　　　　　4. 我一定_____学习汉语。

A. 别　　　　　　　　　　　　　　　　　　A. 好

B. 该　　　　　　　　　　　　　　　　　　B. 好一好

C. 请　　　　　　　　　　　　　　　　　　C. 好好儿

5. 下面哪句话是对的？
    A. 我把照片没寄给妈妈。
    B. 我把照片没寄给妈妈了。
    C. 我没把照片寄给妈妈。

六 选择合适的问句或者答句。Choose the appropriate questions or answers.

1. A：卡伦呢？
   B：_____。
   □ 她回去了
   □ 她回来了

2. A：王老师在楼上（upstairs）等你
       呢，快上去吧！
   B：_____。
   □ 我现在上来
   □ 我现在上去

3. A：小姐，我换人民币。
   B：_____。
   □ 请把护照给我
   □ 请护照给我

4. A：_____？
   B：对，都写在书上。
   □ 作业都写在哪儿
   □ 作业都写在书上吗

5. A：_____？
   B：走的时候把灯关了。
   □ 还有什么要求
   □ 要求什么

七 仿照例句，选择词语把句子填写完整。然后用"把"字改写句子。Follow the example and fill in the blanks. Then rewrite the sentences with "把".

上	在	给

例：书忘在教室里了。 → 我把书忘在教室里了。

1. 词典请带_____惠美。 → _____

2. 我没关_____窗户。 → _____

3. 这本书请还_____图书馆。 → _____

4. 请写_____你的名字。 → _____

5. 这些电话号码都写_____这儿吗？ → _____

八 根据所给的词语，把下列对话填写完整。Fill in blanks with the given words.

学生：老师，_____？（什么）

老师：请大家把书打开，看第160页。今天的作业是从第一题到第三题。

学生：_____？（吗）

老师：明天不交。想一想，明天是……

学生：哎呀，我忘了！明天是周末，_____！（太……了）

老师：可是现在请大家把昨天的作业交给我。

学生：对不起，我又忘了。我把作业本_____。（忘）

老师：那下星期一交给我吧！好的，_____。（该……了）

学生：还有别的要求吗？

老师：回去以后_____，（好好儿）
　　　走的时候请大家把_____。（关）

汉字练习　Chinese Characters

一 根据拼音写汉字。Write Chinese characters according to the *pinyin*.

dàjiā	zhōumò	shíhou	guān dēng	jiē diànhuà

二 选择正确的汉字。Choose the correct Chinese characters.

1. 今天回去我一定_____习生词。　（顺　预）

2. 明天是周_____。　（末　未）

3. 什么时_____交作业？　（侯　候）

4. 王老师_____我们综合课。　（教　数）

5. 这_____作业太多了。　（此　些）

6. 走的时候把_____关了。　（打　灯）

三　选择相关的偏旁和汉字，组成新的汉字，填入后面的句子中。Compose new Chinese characters by the given sides and Chinese characters and fill in the blanks with them.

偏旁	扌	夂	页	穴	心

汉字	囟	亡	丁	孝	川

1. 我去借书，（　）便帮你还书。
2. 我把手机（　）在教室里了。
3. 请（　）开书，看165页。
4. 张华（　）我用筷子。
5. 走的时候把（　）户关上。

四　填入汉字，使上下左右均能连成句子。Fill in the blanks to form sentences.

```
        他  没  □  作  业  交  □  我
        弟      手              你
        弟      机              钱
        住      关
这  些  写  □  书  □
        北
        京
```

任务　Task

按照示例，根据实际情况填表。Follow the example and fill in the table according to the real situation.

马克	我
今天我们学到第23课了。	
我每天预习生词，我们每天都要听写。	
今天的作业是165页，第三、四、六题。	
今天的作业都写在本子上。	
今天把昨天的作业交给老师。	
下个星期一把今天的作业交给老师。	

语音练习　Pronunciation

一　根据图示，把下列拼音填写完整。Look at the pictures and fill in the blanks to complete the *pinyin*.

__ǐ__ài	__ǎo__ì	__éng__ì	__āo
比赛	考试	成绩	高

y__j____	j__y__	ch____g__	m____
演讲	加油	超过	慢

二　根据所给的汉字选择正确的拼音。Choose the correct *pinyin* for the Chinese charaters.

举行　jǔxíng
　　　jǔxín

听说　tīnshuō
　　　tīngshuō

最　zuì
　　zùi

| 不如 | bùrú
bùlú | 参加 | cānjiā
sānjiā | 分 | fēng
fēn |

1. 你 的 口 语 比 我 好。

_____

2. 我 总 是 一 边 想 发 音，一 边 说。

_____

3. 我 不 如 你 们。

_____

语法练习　　Grammar

一 选词填空。Fill in the blanks with the appropriate words.

| 比　慢　报名　总是　举行　不如 |

听说下个月学校要_____汉语演讲比赛，马克的口语_____我好，我觉得他应该_____。可是他觉得他的发音和声调_____我。我_____一边想发音一边说，说得比较_____。

二 完成下面的练习。Complete the following exercises.

1. 用连线的方法把下面两组词语连接在一起。Match the words of the two columns.

A	B
考得	流利
高	你们
这么	演讲比赛
不如	最好
参加	一点儿

2. 选择题1中组成的短语写入下面的句子中。Fill in the blanks with the phrases of the above exercise.

(1) _____是一个练习的好机会。

(2) 安德鲁的成绩比马克_____。

(3) 我和安德鲁的成绩都没有卡伦高，卡伦_____。

(4) 我的阅读成绩_____。

(5) 他的口语没有你_____。

三　把括号里的词填入合适的位置。Put the words into the appropriate place.

1. 我A一边B吃饭C一边看电视。 （总是）

2. 我的发音A没有B你C准。 （那么）

3. 这本汉语书比A那本汉英词典B便宜C。 （多了）

4. 惠美来得A比李明B早C。 （二十分钟）

5. 你的听力和阅读A都B比C我好。 （也）

四　选择正确答案。Choose the appropriate alternatives.

1. 你的发音_____我好。
   A. 跟
   B. 比
   C. 和

2. 我的听力_____阅读一样，都是85分。
   A. 跟
   B. 比
   C. 不如

3. 我的成绩_____你。
   A. 没有
   B. 不比
   C. 不如

4. 安德鲁的阅读成绩_____卡伦那么高。
   A. 比
   B. 不比
   C. 没有

5. 安德鲁的口语_____了75分。
   A. 取
   B. 得
   C. 到

6. 下面哪句话是不对的？
   A. 你比我说得流利。
   B. 你说得比我流利。
   C. 你说得流利比我。

7. 下面哪句话是对的？
   A. 她喜欢一边看电视一边吃饭。
   B. 她一边喜欢看电视一边吃饭。
   C. 她一边看电视一边喜欢吃饭。

五 选择合适的问句或者答句。Choose the appropriate questions or answers.

1. A：下个月有汉语演讲比赛，你知道吗？
   B：_____。
   ☐ 我听说了
   ☐ 我听说的

2. A：你报名了吗？
   B：没有，你的汉语比我好，_____。
   ☐ 你要报名
   ☐ 你应该报名

3. A：我考得不太好，语法只得了80分。
   B：_____？你还比我多5分呢！
   ☐ 这还不好
   ☐ 这很不好

4. A：_____？
   B：没有，我的中文书没有她那么多。
   ☐ 你的中文书多还是卡伦的中文书多
   ☐ 你的中文书有卡伦那么多吗

5. A：安德鲁和马克谁高？
   B：_____。
   ☐ 安德鲁比马克很高
   ☐ 安德鲁比马克高得多

六 仿照例句，把下列句子填写完整。Follow the example and fill in the blanks.

例：我：24岁；弟弟：21岁
    我比弟弟大三岁。

1. 汉英词典：46块；汉语书：25块

   _____。

2. 马克：185cm（厘米）；李明：175cm（厘米）

   _____。

3. 卡伦的成绩：96分；马克的成绩：88分

   _____。

4. 张华的房间：20m²（平方米）；卡伦的房间：25m²（平方米）

   _____。

七 根据所给的词语，把下列对话填写完整。Complete the dialogue with the given words.

安德鲁：这次考试你考得怎么样？
马克：　_____，我只得了80分。（考得……）
安德鲁：这还不好？_____！我只得了75分。（比）
马克：　_____？（多少）

安德鲁：卡伦得了90分。你们都考得很好，＿＿＿＿＿＿＿。（不如）

马克：　没关系，我们一起参加比赛，一起练习吧！

安德鲁：＿＿＿＿＿＿＿？（什么）

马克：　汉语演讲比赛。

安德鲁：这是一个练习口语的好机会，我们一起去报名吧！

汉字练习　Chinese Characters

一　根据拼音写汉字。Write Chinese characters according to the *pinyin*.

bàomíng　　　jīhuì　　　jiāyóu　　　chāoguò

二　选择正确的汉字。Choose the correct Chinese characters.

1. 我学汉语的时间＿＿＿＿＿＿你长。　　　（北　比）

2. 阅读＿＿＿＿＿＿试难不难？　　　（考　老）

3. 我汉语说＿＿＿＿＿＿不太好。　　　（很　得）

4. 这件衣服不＿＿＿＿＿＿那件贵。　　　（如　加）

5. 下次我们要＿＿＿＿＿＿过卡伦。　　　（超　起）

三　选择相关的偏旁和汉字，组成新的汉字，填入后面的句子中。Compose new Chinese characters by the given sides and Chinese characters and fill in the blanks with them.

偏旁	忄	夕	足	氵	纟

汉字	责	由	夕	艮	曼

1. 这次考试你考了（　　）少分？

2. 我的眼睛（　）中国人不一样。
3. 加（　），这次没考好，还有下次呢！
4. 老师，您说得太快了，能（　）一点儿吗？
5. 我的口语成（　）比卡伦高一点儿。

四　填入汉字，使上下左右均能连成句子。Fill in the blanks to form sentences.

		你								我
参	加	□	赛	是	一	个	好	机		□
		我								说
		考								汉
听	力	□	了	80	分	不	如	口	语	
		好								

任务　Task

按照示例，根据实际情况填表。Follow the example and fill in the table according to the real situation.

马克	我
我的口语成绩最好，我说得比较流利。	
可是我的发音和声调不太准。	
我觉得声调有点儿难，特别是三声。	
我应该经常练习发音。	
我的语法成绩没有口语成绩好。	
我应该每天好好儿预习生词和课文。	

附录 参考答案

第1课 你好

※ 语音练习

一、l ǎo sh ī   z ài jiàn   n ín h ǎo   tóng xué

二、[ˊ] (3)   [ˇ] (1) (4)   [ˋ] (2)
　　[ˊ+ˉ] (5)   [ˇ+ˋ] (6)

三、1. Nǐmen hǎo!
　　2. Míngtiān jiàn!
　　3. Lǎoshī, zàijiàn!

※ 语法练习

一、1. B   2. A
二、1. □您好   2. □明天见   3. □你们好

※ 汉字练习

一、一　十
二、1. 们   2. 明
三、王 4   你 7   再 6   同 6

第2课 你好吗

※ 语音练习

一、t ā   b à b a   m ā m a   w ǒ m en
二、[ˉ] (3)   [ˇ] (1)   [ˋ] (2)   [ˋ+ˊ] (4) (5)
三、1. Tóngxuémen, nǐmen hǎo ma?
　　2. Wǒ bàba māma dōu hěn hǎo.
　　3. Bú kèqi!

※ 语法练习

一、1. B   2. A
二、1. B   2. C   3. C
三、1. □您好吗   2. □他也很好   3. □不客气
四、(1) 他们也很好。
　　(2) 你爸爸妈妈都好吗？

※ 汉字练习

一、五　　八　　马
二、1. 很   2. 吗
三、妈6   他5   谢12   明8

第3课　你叫什么名字

※ 语音练习

一、gāo xìng   tā men   xìng   míng zi
二、[ˉ] (2)   [ˊ] (4)   [ˇ] (3)   [ˋ] (1)
　　[ˉ+ˋ] (5)   [ˊ+ˊ] (8)   [ˋ+ˋ] (7)   [ˋ+ˊ] (6)

三、1. Nǐ jiào shénme míngzi?
　　2. Wǒ yě hěn gāoxìng rènshi nǐ.
　　3. Wǒ bàba xìng Wáng, wǒ māma xìng Yáo.

※ 语法练习

一、1. A   2. A   3. B
二、1. B   2. B   3. B
三、1. □你叫什么名字   2. □您贵姓   3. □你呢
四、(1) 我姓张，叫张华。
　　(2) 认识你我们都很高兴。

※ 汉字练习

一、女　　　　九　　　　七
二、1. 我   2. 呢
三、她6   我7   张7   姓8

第4课　　你是哪国人

※ 语音练习

一、<u>Zh</u> ō<u>ng g</u> uó　　　<u>X</u> iāng<u>g</u>ǎng　　　　<u>x</u> ué <u>x</u> í
　　M<u>ě</u>i<u>g</u>uó　　　　B<u>ě</u>i<u>j</u>īng　　　　Sh<u>àng h</u>ǎi

二、[ˊ] (2)　　　[ˇ] (4)　　　[ˋ] (1) (3)
　　[ˉ+ˉ] (8)　　[ˊ+ˊ] (5)　　[ˊ+ˋ] (6)
　　[ˉ+ˇ] (7)

三、1. Nǐ shì Běijīngrén ma?
　　2. Qǐng wèn, nín shì nǎ guó rén?
　　3. Wǒmen dōu shì Shànghǎirén.

※ 语法练习

一、1. A　　　　　2. B　　　　　3. A
二、1. B　　　　　2. B　　　　　3. B
三、1. □我是加拿大人　　2. □他不是日本人　　3. □他是王老师
四、(1) 张华是哪国人?
　　(2) 你们都学习英语吗?

※ 汉字练习

一、　门　　　　　　四　　　　　　小
二、1. 国　　　　　2. 谁
三、西6　　　　　国8　　　　　习3　　　　　海10

第5课　　你住哪儿

※ 语音练习

一、<u>sh</u> ǒu <u>j</u> ī　<u>f</u>áng<u>j</u>iān　<u>l</u>iú <u>x</u> ué <u>sh</u> ēng　b<u>ī</u>n<u>g</u>uǎn　d<u>i</u>àn h<u>u</u>à　s<u>ù</u>sh<u>è</u>
二、[ˊ] (1) (4)　　[ˇ] (3)　　　[ˋ] (2)
　　[ˉ+ˊ] (7)　　[ˇ+ˉ] (6)　　[ˋ+ˋ] (8)　　[ˇ+ˊ] (5)

三、1. Qǐngwèn nín zhù jǐ hào lóu?
　　2. Nǐ de diànhuà hàomǎ shì liù'èrsānyāo-qībāsìlíng ma ?
　　3. Tā de fángjiān hào shì duōshao ?

※ 语法练习

一、1. A　　　　　2. A　　　　　3. A

二、1. A　　　　　　2. B　　　　　　3. C
三、1. □我住留学生宿舍6号楼314房间　　　　2. □你的房间号是多少
　　3. □我们都住留学生宿舍
四、(1) 张华的手机号是多少?
　　(2) 卡伦住留学生宿舍 8 号楼。

※ 汉字练习

一、问　　　　　　房间　　　　　　手
二、1. 多　　　　　2. 间
三、机 6　　　　　舍 8　　　　　楼 13　　　　　多 6

<h1 style="text-align:center">第6课　　你家有几口人</h1>

※ 语音练习

一、gōng rén　　zhí yuán　　xué sheng　　jǐng chá　　kōng jiě　　dài fu
二、[ˇ] (1) (3)　　　　[ˋ] (2) (4)
　　[ˉ+ˋ] (5) (6)　　　　[ˇ+ˊ] (8)　　　　[ˋ+ˊ] (7)
三、1. Nǐ jiā yǒu jǐ kǒu rén?
　　2. Wǒ bàba shì lǎoshī.
　　3. Tā jiějie zài yīyuàn gōngzuò.

※ 语法练习

一、1. A　　　　　2. B　　　　　3. B　　　　　4. B
二、1. B　　　　　2. A　　　　　3. B　　　　　4. B
三、1. □我也在北京大学学习　　　　2. □你的电话号码是多少
　　3. □我没有妹妹　　　　　　　　4. □你弟弟做什么工作
四、(1) 张华的姐姐在上海工作。
　　(2) 惠美家有四口人。
　　(3) 马克只有一个弟弟。

※ 汉字练习

一、护士　　　　　妈妈　　　　　妹妹
二、1. 老　　　　　2. 和
三、妹 8　　　　　么 3　　　　　两 7　　　　　做 11

※ 任务（答案略）

第7课　今天几号

※ 语音练习

一、<u>sh</u>ēng<u>r</u>ì　<u>ch</u>ī<u>f</u>àn　<u>ch</u>ū<u>sh</u>ēng　wǎn<u>sh</u>ang　<u>sh</u>í<u>j</u>iǔ　x<u>īng</u>q<u>ī</u>sì

二、[´] (1)　　　[ˇ] (4)　　　[`] (2) (3)

　　[¯ + ¯] (7)　[´ + ¯] (6)　[` + ˇ] (5)　　[ˇ + ´] (8)

三、1. Āndélǔ yījiǔbābā nián chūshēng, shǔ lóng.

　　2. Jīntiān shì èrlínglíngbā nián bā yuè sān hào.

　　3. Míngtiān xīngqīsì, shì Kǎlún de shēngrì.

※ 语法练习

一、1. A　　　　　2. A　　　　　3. A　　　　　4. B

二、1. B　　　　　2. B　　　　　3. A　　　　　4. B

三、1. □明天星期日　　　　　　2. □我1981年出生，属鸡

　　3. □今天2008年1月8号　　4. □在哪儿出生

四、(1) 明天是我爸爸的生日。

　　(2) 我朋友卡伦1983年出生。

　　(3) 今天是八月十一号星期一。

※ 汉字练习

一、我　　　　　　　昨天　　　　　　　明天

二、1. 月　　　　　2. 饭

三、星9　　　　　期12　　　　　用5　　　　　属12

※ 任务（答案略）

第8课　现在几点

※ 语音练习

一、<u>q</u>ǐ<u>ch</u>uáng　　<u>sh</u>àng<u>k</u>è　　<u>j</u>ī<u>ch</u>ǎng　　<u>f</u>ē<u>ij</u>ī
　　b<u>ān</u>　　　　l<u>ái</u>　　　　k<u>uài</u>　　　d<u>iǎn</u>

二、现在 xiānzài　出发 chūfā　到 dào　下课 xiàkè　机场 jīchǎng　差 chā

三、1. Xiànzài jǐdiǎn?

　　2. Nǐ míngtiān xiāwǔ yǒu kè ma?

　　3. Wǒ chà yí kè liǎng diǎn chūfā.

一、1. 吧　　　2. 点　　　3. 课　　　4. 去　　　5. 差

二、1. C　　　2. C　　　3. C　　　4. B　　　5. B

三、

7:05	七点五分 / 七点零五分	qī diǎn wǔ fēn / qī diǎn líng wǔ fēn
10:15	十点十五分 / 十点一刻	shí diǎn shíwǔ fēn / shí diǎn yí kè
3:30	三点三十分 / 三点半	sān diǎn sānshí fēn / sān diǎn bàn
10:45	十点四十五分 / 十点三刻	shí diǎn sìshí wǔ fēn / shí diǎn sān kè
11:50	十一点五十分	shíyī diǎn wǔshí fēn
3:45	差一刻四点	chà yí kè sìdiǎn

四、1. C　　　2. D　　　3. B　　　4. A　　　5. C

五、1. □现在几点?　　　2. □没有。　　　3. □星期四。

　　4. □差一刻九点。　　　5. □好。

六、答案略

七、答案略

※ 汉字练习

一、现在　　　　出发　　　　上午

二、1. 明　　　2. 场　　　3. 发　　　4. 床　　　5. 快

三、（答案略）

四、（答案略）

※ 任务（答案略）

第9课　地铁站在哪儿

※ 语音练习

一、<u>ch</u>ū<u>z</u>ū<u>ch</u>ē　　　<u>h</u>uǒ<u>ch</u>ē　　　<u>z</u>ì<u>x</u>íng<u>ch</u>ē　　　<u>d</u>ì<u>t</u>iě
　　<u>z</u>uò<u>ch</u>ē　　　z<u>uò</u>ch<u>uán</u>　　　lù<u>k</u>ǒu　　　qí<u>m</u>ǎ

二、左拐 zuǒ guǎi　　知道 zhī dào　　层 céng
　　不远 bù yuǎn　　怎么 zěnme　　离 lí

三、1. Qǐngwèn, qù Wángfǔjǐng zěnme zǒu?
　　2. Jīchǎng lí zhèr yuǎn ma?
　　3. Tā zuò chūzū chē qù xuéxiào.

※ 语法练习

一、1. 从 往 往 离　　　2. 楼层 房间　　　3. 坐　　　4. 骑

二、1. C　　　　　2. C　　　　　3. B　　　　　4. C
三、1. □飞机几点到　　　　　2. □知道，一直往前走，到十字路口往右拐
　　3. □我坐公共汽车去饭店　　4. □学校医院在哪儿
四、（答案略）
五、（答案略）
六、（答案略）

※ 汉字练习

一、飞机　　　　　火车　　　　　机场
二、1. 直　　　　　2. 住　　　　　3. 右
三、（答案略）

※ 任务（答案略）

第10课　苹果多少钱一斤

※ 语音练习

一、p í ng g uǒ　　　x iāng j iāo　　　m iàn b āo　　　n iú n ǎi
　　g ěi　　　　　m ǎi　　　　　m ài　　　　　q ián
二、[ˉ]：斤、香
　　[ˊ]：还、别、毛、瓶
　　[ˋ]：要、块、特、袋、这
三、1. Píngguǒ duōshao qián yì jīn?
　　2. Hái yào bié de ma?
　　3. Zhè shì sìshí kuài, zhǎo nín shí kuài.

※ 语法练习

一、1. 钱　　　2. 给　　　3. 还　　　4. 要　　　5. 这 找
二、1. B　　　2. B　　　3. A　　　4. C
三、

150元	一百五十块	yìbǎi wǔshí kuài
25.5元	二十五块五	èrshíwǔ kuài wǔ
15.05元	十五块零五（分）	shíwǔ kuài líng wǔ (fēn)
37.82元	三十七块八毛二	sānshíqī kuài bā máo èr
276元	二百七十六块	èrbǎi qīshíliù kuài

四、1. D　　　2. B　　　3. C　　　4. C　　　5. B
五、（答案略）
六、（答案略）

※ 汉字练习

一、 苹果　　　　　　多少钱　　　　　买卖　　　　　　香蕉　　　　　　别的
　　　面包　　　　　　特价

二、 1. 钱　　　　2. 别　　　　3. 面　　　　4. 特　　　　5. 块

三、 （答案略）

※ 任务（答案略）

第11课　你想买什么

※ 语音练习

一、 <u>liàn xí</u>　　　<u>Hàn zì</u>　　　<u>qiān bǐ</u>　　　<u>xiàng pí</u>
　　　<u>shū diàn</u>　　　<u>cí diǎn</u>　　　<u>xiǎng</u>　　　<u>duō</u>

二、 nǔlì　liànxí　nà biān　dāngrán　zánmen　dàgài

三、 1. Nǐ zěnme mǎi zhème duō?
　　 2. Dàgài èrshí duō kuài qián.
　　 3. Xiàwǔ wǒ qù shū diàn, nǐ qù bu qù?

※ 语法练习

一、 1. 大概　　　2. 想　　　3. 还　　　4. 怎么　　　5. 不

二、 1. B　　　　2. B　　　　3. B　　　　4. B　　　　5. C
　　 6. B

三、 1. 你去哪儿买磁带?　　　　2. 你想买什么?
　　 3. 这种田字格本多少钱一本?　　　4. 你想买几瓶可乐?

四、 1. B　　　2. C　　　3. B　　　4. C　　　5. B

五、 1. □你想买什么?　　　2. □在那边。　　　3. □还要两个面包。
　　 4. □不去。　　　5. □汉英词典。

六、 （答案略）

七、 （答案略）

※ 汉字练习

一、 汉字　　　　　　练习　　　　　　书店　　　　　　当然

二、 1. 买　　　2. 字　　　3. 跟　　　4. 发　　　5. 太

三、 讠　　　　氵　　　　心

四、 纟：<u>给练</u>　　口：<u>哎咱吃</u>　　辶：<u>这边道还</u>　　木：<u>机橡概</u>　　心：<u>想</u>

※ 任务（答案略）

第12课 我可以试试吗

※ 语音练习

一、<u>m áo y ī</u>　　<u>sh ì</u>　　　<u>ch uān</u>　　　<u>d à x iǎo</u>
　　<u>p í x ié</u>　　<u>y án s è</u>　　　<u>sh uāng</u>　　<u>d ǎ zhé</u>

二、kěyǐ　dǎzhé　xǐhuan　háishi　piányi　yǒudiǎnr

三、1. Wǒ kěyǐ shìshi ma?
　　2. Nǐ chuān duō dà hào de?
　　3. Néng piányi yìdiǎnr ma?

※ 语法练习

一、1. 喜欢　　2. 可以　　3. 还是　　4. 合适　　5. 有点儿　一点儿

二、1. B　　　2. C　　　3. A　　　4. B　　　5. C　　　6. C

三、1. 这件毛衣有点儿小。　　2. 有没有便宜一点儿的面包?
　　3. 你喜欢什么颜色的?　　4. 你穿大号还是小号的?

四、1. B　　　2. A　　　3. C　　　4. C　　　5. B

五、1. □这双多少钱　　2. □黑的　　　3. □30号
　　4. □不能便宜了　　5. □咖啡

六、（答案略）

七、（答案略）

※ 汉字练习

一、可以　　　有点儿　　　喜欢　　　合适

二、1. 毛　　2. 以　　3. 间　　4. 折　　5. 便

三、1. 可以　　2. 合适　　3. 便宜　　4. 那儿　　5. 还是　　　6. 毛衣

四、（答案略）

※ 任务（答案略）

第13课 我想吃包子

※ 语音练习

一、<u>sh í t áng</u>　　<u>m án t ou</u>　　<u>j ī d àn</u>　　<u>j iǎo z i</u>
　　<u>k ā f ēi</u>　　<u>sh ī f u</u>　　<u>m ǐ f àn</u>　　<u>m iàn t iáo</u>

二、hē　huì　nán　chángcháng　liǎ　wèishénme

三、1. Nǐ chángcháng chī mántou hé bāozi, wèishénme?
　　2. Wǒ hái bú huì yòng kuàizi.

3. Tài hǎo le!

※ 语法练习

一、 1. 喝   2. 会   3. 教   4. 难   5. 带

二、 1. C   2. B   3. A   4. B   5. B

    6. B

三、 1. 我去食堂吃饭。   2. 她觉得用筷子太难了。

    3. 汤在那边。   4. 你喝点儿什么?

四、 1. C   2. B   3. B   4. A   5. C

五、 1. □你去哪儿吃饭   2. □你吃苹果还是香蕉

    3. □你常常吃馒头,为什么   4. □我的词典呢

    5. □太好了

六、 (答案略)

七、 (答案略)

※ 汉字练习

一、 筷子   觉得   带肉   教

二、 1. 菜   2. 汤   3. 用   4. 难   5. 俩

三、 肉 喝 会 馒头 师傅 常常

四、 (答案略)

※ 任务(答案略)

第14课　我去图书馆借书

※ 语音练习

一、 tú shū guǎn   shàng wǎng   zhào piàn   kǎ

    péng you   bāng   děng   yuè lǎn shì

二、 yīng wén   xuésheng zhèng   zhàopiàn

    péngyou   méi wèntí   shùnbiàn

三、 1. Wǒ xiǎng qù túshūguǎn jiè shū.

    2. Nǐ néng tì wǒ huán yì běn shū ma?

    3. Nǐ yǒu xuésheng zhèng hé zhàopiàn ma?

※ 语法练习

一、 1. 借   2. 看   3. 办   4. 陪   5. 得   6. 替

二、 1. A   2. B   3. B   4. B   5. B   6. B

三、 1. 我来北京学习汉语。   2. 我下午坐飞机去上海。

    3. 你能替我还一本书吗?   4. 在哪儿办借书卡?

四、1. B　　　　　2. C　　　　　3. C　　　　　4. C　　　　　5. A

五、1. □你想借什么书　　　2. □对　　　3. □没有
　　4. □二层　　　　　　　5. □好啊

六、1. 你想去哪儿借书?　　　　　2. 你想借几本英文书?
　　3. 他坐飞机去哪儿?　　　　　4. 阅览室里有多少个留学生?

七、课文一　1. X　　2. X　　3. √　　4. X　　5. √　　6. √
　　课文二　1. X　　2. X　　3. X　　4. √　　5. √

※ 汉字练习

一、朋友　　　　　　自己　　　　　　图书馆　　　　　　照片
二、1. 借　　　2. 还　　　3. 网　　　4. 办　　　5. 跟
三、饣　艹　亻　口　彳　讠
四、（答案略）

※ 任务（答案略）

第15课　我换人民币

※ 语音练习

一、xiǎo jiě　　xiān sheng　　rén mín bì　　hù zhào
　　qiān zì　　shǔ　　cún zhé　　shū rù
二、huìlǜ　rìyuán　mìmǎ　xiānsheng　fùjìn　fāngbiàn
三、1. Nín qǔ duōshao qián?
　　2. Zhè shì yìqiān wǔbǎi bāshí yuán rénmínbì.
　　3. Qǐngwèn, fùjìn yǒu zìdòng qǔkuǎnjī ma?

※ 语法练习

一、1. 换　　2. 外边　　3. 附近　　4. 签　　5. 数　　6. 方便
二、1. C　　2. B　　3. A　　4. B　　5. C
三、1. 字　　2. 钱　　3. 斤　　4. 毛衣　　5. 数一数　　6. 等
四、1. C　　2. B　　3. B　　4. C　　5. C
五、1. □您取多少　　2. □您换多少　　3. □两千元人民币
　　4. □没有　　5. □100美元换690元人民币

六、

数字	汉字	拼音
150	一百五十／一百五	yìbǎi wǔshí／yìbǎiwǔ
807	八百零七	bābǎi língqī
3018	三千零一十八	sānqiān líng yīshíbā
7050	七千零五十	qīqiān líng wǔshí
20521	两万零五百二十一	liǎngwàn líng wǔbǎi èrshíyī
45790	四万五千七百九十	sìwàn wǔqiān qībǎi jiǔshí

七、（答案略）

※ 汉字练习

一、人民币　　　外边　　　小时　　　方便
二、1. 元　　　2. 下　　　3. 换　　　4. 哪　　　5. 码
三、1. 人民币　　2. 签字　　3. 今天　　4. 二百　　5. 输入　　6. 密码
四、（答案略）

※ 任务（答案略）

第16课　我妈妈给我寄了一个包裹

※ 语音练习

一、yóujú　　　bāoguǒ　　　xìnfēng　　　yóupiào
　　hànbǎo　　　chuāngkǒu　　　kàn　　　jì
二、zuǒbian　hángkōng　jìniàn　zhǒng　chuāngkǒu　pǔtōng　guójì　zhāng
三、1. Māma gěi wǒ jì le yí ge bāoguǒ.
　　2. Qǐng wèn zài nǎr mǎi xìnfēng hé yóupiào?
　　3. Zhèr yǒu diànhuà kǎ ma?

※ 语法练习

一、1. 寄　　　2. 张　　　3. 邮票　　　4. 什么样　　　5. 第　　　6. 干
二、1. B　　　2. A　　　3. B　　　4. B　　　5. B　　　6. C
三、1. 他去食堂吃饭了没有？/ 他没去食堂吃饭。
　　2. 妈妈给你打电话了没有？/ 妈妈没给我打电话。
　　3. 下午卡伦去邮局了没有？/ 下午卡伦没去邮局。
四、1. B　　　2. A　　　3. C　　　4. A　　　5. B　　　6. C
五、1. □电话卡多少钱一张　　　2. □第三双　　　3. □一共二十五块
　　4. □你要什么样的邮票　　　5. □没喝
六、（答案略）
七、课文一　1. X　　2. X　　3. √　　4. √
　　课文二　1. X　　2. √　　3. X　　4. X　　5. X

※ 汉字练习

一、邮局　　　普通　　　看　　　取　　　行
二、1. 陪　　　2. 问　　　3. 块　　　4. 机　　　5. 便
三、（答案略）

四、穴 酉 阝 宀 竹 辶

※ 任务（答案略）

第17课　我想租一套带厨房的房子

※ 语音练习

一、 x<u>u</u>é x<u>i</u>ǎo　　　f<u>ā</u>ng z i　　　　d <u>i</u>àn sh ì　　　b <u>ī</u>ng x <u>i</u>āng
　　 g <u>ō</u>ng y <u>u</u>án　　 y <u>ū</u>n d <u>ō</u>ng ch <u>ǎ</u>ng　 ch <u>ā</u>o sh ì　　　w <u>è</u>i sh <u>ē</u>ng j <u>i</u>ān

二、 chúfáng　　bīngxiāng　　kètīng　　fángzū　　huánjìng　　kǎolǜ

三、 1. Wǒ xiǎng zū yí tào dài chúfáng de fángzi.
　　 2. Xiǎoqū huánjìng zěnmeyàng?
　　 3. Yóujú pángbiān yǒu yí ge dà chāoshì.

※ 语法练习

一、 1. 就　　　　 2. 应该　　　 3. 套　　　　 4. 怎么样　　 5. 旁边
二、 1. A　　　　 2. C　　　　 3. B　　　　 4. B　　　　 5. B　　　　6. A
三、 1. 卡伦想买几张纪念邮票？
　　 2. 国际IP电话卡多少钱一张？
　　 3. 左边第几个窗口卖信封和邮票？
　　 4. 你想在哪儿租一套房子？
　　 5. 房间里有什么？
四、 1. C　　　　 2. C　　　　 3. B　　　　 4. A　　　　 5. B　　　　6. C
　　 7. B
五、 1. □小区环境怎么样　　　　 2. □我前边是马克
　　 3. □在邮局东边　　　　　　 4. □你要租什么样的
　　 5. □还可以
六、 （答案略）
七、 （答案略）

※ 汉字练习

一、 学校　　　 租房子　　　 怎么样　　　 应该
二、 1. 近　　 2. 做　　 3. 洗　　 4. 昨　　 5. 运　　 6. 虑
三、 （答案略）

※ 任务（答案略）

第18课 你哪儿不舒服

※ 语音练习

一、g ǎn m āo sh uì j iào y ào t óu
y óu y ǒng x iū x i sh uǐ t ǐ w ēn b iǎo

二、shūfu kěnéng liáng qǐngjià yàojǐn bìng

三、1. Nǐ chī yào le ma?
2. Nǐ nǎr bù shūfu?
3. Kěnéng yǒudiǎnr fāshāo.

※ 语法练习

一、疼　发烧　请假　病　上课

二、1.（同第2题）
2.(1) 努力练习　(2) 往左拐　(3) 办借书卡　(4) 去游泳　(5) 说英语

三、1. B　　2. C　　3. B　　4. C　　5. C　　6. A

四、1. A　　2. C　　3. B　　4. C　　5. C

五、1. □我没买　　　　　　　　2. □你去哪儿了
3. □去了　　　　　　　　　　4. □你休息休息就好了
5. □可能有点儿感冒　　　　　6. □你哪儿不舒服

六、（答案略）

七、（答案略）

※ 汉字练习

一、病　度（肚）　严重　请假

二、1. 休　　2. 要　　3. 房　　4. 病　　5. 冰　　6. 发

三、凉　疼　休

四、

					这
					是
我	给	你	开	点	儿	药
	你				方
	钱				

※ 任务（答案略）

第19课 你想剪什么样的

※ 语音练习

一、<u>huānyíng</u>　　<u>tóufa</u>　　<u>yǎnjing</u>　　<u>bízi</u>
　　<u>lǐfà</u>　　<u>xǐ</u>　　<u>jiǎn</u>　　<u>chuīfēng</u>

二、guānglín　　qiánbian　　huáng　　zài
　　shuǐpíng　　zhěngróng　　zuǒ　　bié

三、1. Nǐ xiǎng jiǎn shénme yàng de?
　　2. Bié kāiwánxiào le.
　　3. Rǎn fà hěn róngyì, xué Hànyǔ bú tài róngyì a!

※ 语法练习

一、头发　染　可是　鼻子　汉语
二、1.（同第2题）
　　2. (1)欢迎光临　(2)剪短一点儿　(3)学汉语　(4)什么颜色　(5)开玩笑
三、1. B　　2. B　　3. C　　4. B　　5. C
四、1. B　　2. B　　3. A　　4. C　　5. B
五、1. □你想剪什么样的　　　2. □你看看怎么样
　　3. □我再考虑考虑　　　　4. □你想都染吗　　　5. □欢迎光临
六、（答案略）
七、课文一 1. √　2. X　3. √　4. X
　　课文二 1. X　2. X　3. √　4. X　5. √

※ 汉字练习

一、眼睛　后边　水平　容易　短
二、1. 再　　2. 发　　3. 睛　　4. 汉　　5. 样
三、对　别　睡
四、

					我	
					想	
					理	
我						
可	能	有	点	儿	发	烧
以						
试						
试						
吗						

※ 任务（答案略）

第20课 你汉语说得很流利

※ 语音练习

一、 <u>sh</u>uō <u>fā y īn</u> <u>l iáo t iān</u> <u>m</u>áng
<u>l</u>èi yuè <u>d</u>ú <u>t īng l ì</u> <u>y uè l ái y uè</u>

二、 shēngdiào fēicháng yǐhōu zhǔn
hǎo jiǔ zuìjìn tèbié sǐ

三、 1. Nǐ Hànyǔ shuō de hěn liúlì.
2. Wáng lǎoshī jiāo wǒmen kǒuyǔ.
3. Nǎ lǐ, hái chà de yuǎn ne.

※ 语法练习

一、 最近 节 死 特别 越来越
二、 1. （同第2题）
2. (1)忙死了 (2)教我们口语 (3)怎么这么贵 (4)说得很流利 (5)什么样的房子
三、 1. C 2. B 3. A 4. C 5. B
四、 1. A 2. B 3. A 4. C 5. C
五、 1. □哪里哪里，还差得远呢 2. □你汉语学得怎么样
3. □怎么这么忙 4. □你们都有什么课
5. □忙死了
六、 1. 她汉语说得不太好。 2. 你的头发怎么剪得这么短？
3. 我越来越喜欢吃中国菜。 4. 那里的房租贵死了。
5. 张老师教我们综合课。
七、 （答案略）

※ 汉字练习

一、 这么 流利 聊天 最近
二、 1. 发 2. 阅 3. 合 4. 利 5. 近
三、 读 帮 取
四、

		我					
我	汉	语	说	得	怎	么	这	么	差

（下列竖排）
我字有点难
说等他
怎
这
么
差十分八点

※ 任务（答案略）

第21课　你看见我的词典了没有

※ **语音练习**

一、cí diǎn　　　　　　zuò yè　　　fú wù yuán　　　jiǎn chá
　　kuàng quán shuǐ　　yù xí　　　tīng xiě　　　　biǎo

二、yìsi　shēngcí　cuò　gāng　wán　zhēn

三、1. Wǒ niàn duì le ma?
　　2. Nǐ zěnme zhīdào zhège cí?
　　3. Nǐ yīnggāi yùxí hǎo yǐhòu zài xiūxi.

※ **语法练习**

一、完　检查　哎呀　题　听写　预习
二、1.（同第2题）
　　2.(1) 喝完一瓶　(2) 生词表里　(3) 顺便问了老师　(4) 找词典　(5) 应该预习
三、1. B　　　　　2. C　　　　　3. B　　　　　4. C　　　　　5. B
　　6. B
四、1. A　　　　　2. A　　　　　3. B　　　　　4. C　　　　　5. B
五、1. □你看见我的护照了没有　　　2. □这个生词是什么意思
　　3. □哎呀，你写错了几个字　　　4. □预习了，但没预习好
　　5. □你看到第几页了
六、1. 好完完完对对对　　2. 对对错（错错对）　　3. 完完到
七、（答案略）

※ **汉字练习**

一、意思　服务员　题　听写
二、1. 真　　　　2. 意　　　　3. 错　　　　4. 念　　　　5. 作
三、1. 念　　　　2. 音　　　　3. 完　　　　4. 刚　　　　5. 朋
四、

```
        ┌─┐
        │银│
        ├─┤        ┌─┐              ┌─┐
        │行│        │这│              │生│
┌─┐ ┌─┐ ┌─┐ ┌─┐ ┌─┐ ┌─┐ ┌─┐ ┌─┐
│你│ │怎│ │么│ │知│ │道│ │这│ │个│ │词│
└─┘ ┌─┤ └─┘ └─┘ ├─┤     └─┘ ┌─┤
    │么│            │题│          │表│
    ├─┤            ├─┤          ├─┤
    │走│            │很│          │里│
    └─┘            ├─┤          ├─┤
                   │难│          │没│
                   └─┘          ├─┤
                                │有│
                                └─┘
```

1. 洗手间 xǐshǒujiān　　　禁止吸烟 jìnzhǐ xīyān
2. （答案略）

第22课　你学日语学了多长时间了

※ 语音练习

一、rì yǔ　　gào su　　shí jiān　　fǔ dǎo
　　lù shang　　dǔ chē　　yǔ fǎ　　jiǎng
二、yǐwéi　kāishǐ　yíhuìr　guǒjiǎng　lùyīn　yāoqiú
三、1. Nǐ xué rì yǔ xué le duō cháng shí jiān le?
　　2. Nǐ néng gěi wǒ jièshào yí ge fǔdǎo ma?
　　3. Píngshí zhǐ yòng èrshí duō fēnzhōng jiù néng dào.

※ 语法练习

一、辅导　路上　晚　语法　懂
二、1.（同第2题）
　　2. (1)告诉我你的手机号码　(2)介绍一个辅导　(3)学了三个多月了
　　　　(4)从我宿舍到学校　(5)聊半个小时天
三、1. 才　　　　2. 就　　　　3. 才　　　　4. 就
　　5. 才，就　　6. 就
四、1. C　　　　2. A　　　　3. B　　　　4. A　　　　5. C
五、1. □念十几分钟　2. □你等我多长时间了
　　3. □我早就预习完了　4. □你怎么现在才来
　　5. □能告诉我你的电话号码
六、（答案略）
七、（答案略）

※ 汉字练习

一、方法　课文　平时　懂
二、1. 间　　　2. 过　　　3. 诉　　　4. 介　　　5. 要
　　6. 为
三、1. 始　　　2. 辅　　　3. 忙　　　4. 晚　　　5. 堵

四、

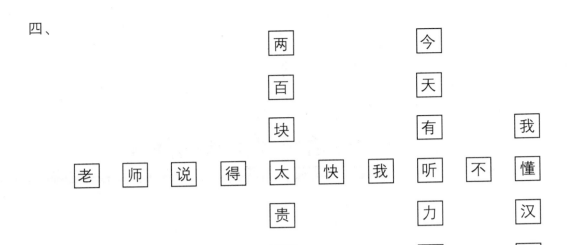

※ **任务（答案略）**

第23课　上课了，请进来吧

※ 语音练习

一、 <u>zh</u>ōu <u>m</u>ō　　<u>b</u>ěn<u>z</u>i　　　<u>l</u>ā　　<u>k</u>āi
　　<u>d</u>à <u>j</u>iā　　　ch<u>uāng</u> h<u>u</u>　y<u>ǔ</u>　　d<u>ēng</u>

二、 zhèyàng　　yídìng　　dǎ　　chū qù　　shíhou　　jiāo

三、 1. Wàibian de tóngxué qǐng jìnlái ba.
　　2. Wǒ yídìng hǎohāor yùxí.
　　3. Wǒ bǎ zuòyè běn wàng zài jiā lǐ le.

※ 语法练习

一、 开　页　上　交　周末　下

二、 1.（同第2题）
　　2. (1) 坐在我旁边　　(2) 请进来　　(3) 交给老师　　(4) 打开书　　(5) 本子上

三、 1. B　　　　　2. B　　　　　3. A　　　　　4. A　　　　　5. C

四、 1. 来　　　　　2. 去　　　　　3. 来　　　　　4. 去　　　　　5. 去
　　6. 来　　　　　7. 去　　　　　8. 来，去

五、 1. B　　　　　2. A　　　　　3. B　　　　　4. C　　　　　5. C

六、 1. □她回去了　　　　　　　　2. □我现在上去
　　3. □请把护照给我　　　　　　4. □作业都写在书上吗
　　5. □还有什么要求

七、 1. 给　请把词典带给惠美。　　2. 上　请把窗户关上。

3. 给　请把这本书还给图书馆。　　　4. 上　请把你的名字写上。

5. 在　把这些电话号码都写在这儿吗?

八、（答案略）

※ 汉字练习

一、大家　周末　时候　关灯　接电话

二、1. 预　　　2. 末　　　3. 候　　　4. 教　　　5. 些

6. 灯

三、1. 顺　　　2. 忘　　　3. 打　　　4. 教　　　5. 窗

四、

		他	没	把	作	业	交	给	我
		弟		手				你	
		弟		机				钱	
		住		关					
这	些	写	在	书	上				
		北							
		京							

※ 任务（答案略）

第24课　你的口语比我好

※ 语音练习

一、bǐ sāi　　kǎo shì　　ch éng jì　　g āo

yǎn jiǎng　jiā yóu　　chāo guò　　màn

二、jǔ xíng　tīng shuō　zuì　bù rú　cān jiā　fēn

三、1. Nǐ de kǒuyǔ bǐ wǒ hǎo.

2. Wǒ zǒng shì yìbiān xiǎng fāyīn, yìbiān shuō.

3. Wǒ bùrú nǐmen.

※ 语法练习

一、举行　比　报名　不如　总是　慢

二、1.（同第2题）

　　2. (1) 参加演讲比赛　　(2) 高一点儿　　(3) 考得最好　　(4) 不如你们　　(5) 这么流利

三、1. A　　　　　2. C　　　　　3. C　　　　　4. C　　　　　5. A

四、1. B　　　　　2. A　　　　　3. C　　　　　4. C　　　　　5. B

　　6. C　　　　　7. A

五、1. □我听说了　　　　　　　　2. □你应该报名

　　3. □这还不好　　　　　　　　4. □你的中文书有卡伦那么多吗

　　5. □安德鲁比马克高得多

六、（答案略）

七、（答案略）

※ 汉字练习

一、报名　机会　加油　超过

二、1. 比　　　　2. 考　　　　3. 得　　　　4. 如　　　　5. 超

三、1. 多　　　　2. 跟　　　　3. 油　　　　4. 慢　　　　5. 绩

四、

```
                        你                              我
        参  加  比  赛  是  一  个  好  机  会
                        我                              说
                        考                              汉
        听  力  得  了  80  分  不  如  口  语
                        好
```

※ 任务（答案略）